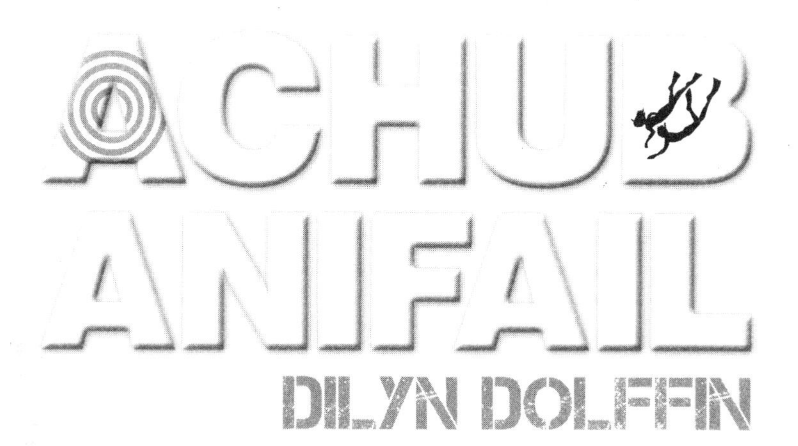

DILYN DOLFFIN

I SEFYDLIAD RHYNGWLADOL Y DOLFFIN – AM EU GWAITH DIFLINO YN ACHUB Y CREADURIAID HYNOD YMA - JB & SV

Argraffiad cyntaf 2016

Cyhoeddwyd gyntaf yn Saesneg yn 2009 dan y teitl *Ocean S.O.S.* gan Magi Publications, 1 The Coda Centre, 189 Munster Road, Llundain SW6 6AW.

Rhif rhyngwladol: 978-1-84527-575-4

Mae'r cyhoeddwyr yn cydnabod cefnogaeth ariannol Cyngor Llyfrau Cymru

Cyhoeddwyd gan Wasg Carreg Gwalch,
12 Iard yr Orsaf, Llanrwst, Dyffryn Conwy, Cymru LL26 0EH.
Ffôn: 01492 642031
Ffacs: 01492 641502
e-bost: llyfrau@carreg-gwalch.com
lle ar y we: www.carreg-gwalch.com

Argraffwyd a chyhoeddwyd yng Nghymru

ACHUB ANIFAIL

DILYN DOLFFIN

J. Burchett and S. Vogler
addasiad Siân Lewis

STATWS: FFEIL AR GAU
LLEOLIAD: ALASGA, UDA
FFUGENW: EIRA WEN

STATWS: BYW
LLEOLIAD: ARFORDIR
Y CARIBÎ, MECSICO
FFUGENW: DYLAN

ACHU

STATWS: FFEIL AR GAU
LLEOLIAD:
SICHUAN, TSIEINA
FFUGENW: JING JING

STATWS: FFEIL AR GAU
LLEOLIAD: DE BORNEO
FFUGENW: CAWAN

STATWS: FFEIL AR GAU
LLEOLIAD:
SWMATRA, INDONESIA
FFUGENW: TORA

STATWS: FFEIL AR GAU
LLEOLIAD: CENIA, AFFRICA
FFUGENW: TOMBOI

ANIFAIL

DATABAS Y PROSIECT

PENNOD UN

"Un, dau, tri, i mewn â ni!" gwaeddodd Sara.

Plymiodd i mewn i bwll nofio'r ganolfan hamdden eiliad o flaen Ben, ei brawd. Gwibiodd yr efeilliaid drwy'r dŵr, nes cyrraedd eu llinell derfyn yn ymyl y jacwsi. Trawodd Sara'i llaw ar y wal.

"Fi sy wedi ennill!" cyhoeddodd.

"O drwch blewyn," meddai Ben.

"Beth wnawn ni nawr?" gofynnodd Sara, gan wthio'i gwallt brown o'i llygaid. "Fydd y peiriant tonnau ddim yn dechrau am sbel."

"Cystadleuaeth arall," awgrymodd Ben.

"Dere i eistedd ar waelod y pwll. Betia i y galla i ddal fy anadl yn hirach na ti."

"Mae hynna'n annheg!" protestiodd Sara. "Ti sy wastad yn ennill."

Ond roedd Ben eisoes wedi sugno llond ceg o aer a suddo o dan y dŵr. Plymiodd Sara ar ei ôl, ac eisteddodd y ddau ar waelod y pwll. Trodd Sara'i chefn ar ei brawd, achos roedd e'n siŵr o wneud iddi chwerthin.

Yn sydyn, dyma rywun yn cyffwrdd ag ysgwydd Ben. Trodd a gweld gwraig ifanc mewn gogls tywyll yn syllu'n syth ato, ac yn codi'i bawd. Gollyngodd Ben ei anadl yn un rhes o swigod a thasgu i'r wyneb.

Dilynodd Sara ar unwaith. "Fi sy wedi ennill eto!" meddai'n syn.

"Roedd raid i fi godi!" gwichiodd Ben. "Mae Erica yma."

Edrychodd Sara o'i chwmpas yn eiddgar. "Alla i ddim gweld Erica," meddai. "Ti sy'n hel esgusion, am dy fod ti wedi colli."

"Draw fan hyn!" galwodd rhywun mewn acen Almaenig. Roedd Erica'n swatio y tu ôl i bistyll dŵr, ac yn chwifio llygad wydr.

Nofiodd y ddau ati ar ras.

"Erica!" gwaeddodd Ben. "Mae gen ti dasg arall i ni!"

Roedd Sara a Ben Wynn yn debyg iawn i unrhyw blentyn arall un ar ddeg oed, heblaw am un peth. Roedden nhw'n gweithio i Gwyllt, mudiad dirgel a achubai anifeiliaid mewn perygl. Dr Steffan Fisher, eu tad bedydd, oedd wedi sefydlu'r mudiad, a phan oedd angen eu help, roedd yn gyrru ei ddirprwy, Erica Bohn, i'w nôl. Ond châi hi ddim dweud beth oedd y dasg. Roedd eu tad bedydd bob amser yn anfon cliw, sef llygad wydr, i ddangos pa anifail oedd mewn perygl.

"Dwi'n falch o'ch gweld chi'ch dau," meddai Erica. Tynnodd ei gogls ac estyn y llygad iddyn nhw. Roedd hi tua'r un maint â llygad ddynol, a'i channwyll yn ddu fel glo.

Rholiodd Sara'r llygad ar gledr ei llaw. "Pa anifail biau hon, tybed?"

"Fe gewch chi ddyfalu ar yr hofrenydd," meddai Erica. "Dewch i newid eich dillad, a bant â ni i'r Ynys Wyllt."

Ugain munud yn ddiweddarach, roedden nhw'n hedfan dros Fôr y Gogledd ag arogl tanwydd dom ieir yn eu trwynau – roedd y tanwydd, fel popeth arall yn Gwyllt, yn helpu'r amgylchfyd.

Tra oedd Ben yn edrych ar y llygad, manteisiodd Sara ar y cyfle i ffonio'u mam-gu. Milfeddygon oedd rhieni'r plant. Roedden nhw'n gweithio dramor dros dro, ac felly Mam-gu oedd yn gofalu am y ddau. Doedd gan Mr a Mrs Wynn ddim syniad fod y plant yn gweithio i Gwyllt, ond roedd Mam-gu'n rhan o'r gyfrinach.

"Ble yn byd mae Steffan yn eich gyrru chi nawr?" meddai'i llais llon dros y ffôn.

"Dwi ddim yn siŵr eto," atebodd Sara, "ond mae wedi rhoi cliw i ni."

"O, mae e'n hoff iawn o bosau!" chwarddodd Mam-gu. "Cymerwch ofal. Wela i chi cyn bo hir."

Daliodd Ben y llygad o flaen ei drwyn. Disgleiriodd yn sydyn wrth i'r golau ddisgyn arni.

"Mae'n dal golau," meddai Ben, "yn union fel llygaid cath neu gi dan olau tortsh. Mae'n helpu'r creadur i weld yn y nos."

Syllodd Sara arni. "Pa anifeiliaid eraill sy â llygaid fel hyn?" gofynnodd.

"Dwi'n trio meddwl," atebodd Ben. "Llawer o famaliaid – a physgod hefyd."

"Beth am wrando ar neges eich ewyrth?" meddai Erica, a phwyntio at dwll yn y consol.

Gwthiodd Ben y llygad i'r twll. Ar unwaith daeth hologram o'u tad bedydd i'r golwg.

"Helô, blant bedydd," meddai. "Ydych chi wedi datrys pos y llygad? Os oes angen cliw arnoch chi, mae ..."

Pylodd yr hologram, a chrynodd llais Wncwl Steffan. "Mae rhywbeth o'i le ar y recordiwr," gwichiodd. "Fe golles i baned o de ..."

Diflannodd yr hologram yn gyfan gwbl.

Chwarddodd Sara. "Mae Wncwl Steffan yn glyfar iawn, ond mae e'n lletchwith tu hwnt! Bydd raid i ni aros i glywed y neges."

"Dyma hi'r Ynys Wyllt," galwodd Erica.

Glaniodd yr hofrenydd ar yr ynys, a chyn gynted ag y neidiodd y tri allan, gwasgodd Erica'r rheolwr bach yn ei llaw. Ar unwaith cododd waliau sied o gwmpas yr hofrenydd a'i guddio o'r golwg. Yna draw â nhw at adeilad oedd yn edrych fel tŷ bach. Ynddo roedd lifft uwchsonig.

Teimlodd y plant eu stumogau'n rhoi naid wrth i'r lifft ddisgyn ar ras i bencadlys Gwyllt. Agorodd y drysau, a phwy oedd yn sefyll o'u blaenau ond eu tad bedydd. Gwisgai siorts lliwgar dan ei gôt labordy, a het wlân dros ei wallt coch, pigog.

"Henffych, blant bedydd!" galwodd. "Nawr dewch gyda fi. Does dim amser i'w golli."

Brysiodd pawb ar hyd y coridor, a gwasgu'u bysedd ar y pad bach yn ymyl drws y Stafell Reoli. Cyn gynted ag i'r peiriant wirio olion eu bysedd, agorodd y drws ac i mewn â nhw i stafell fawr olau, sef canolfan dechnolegol Gwyllt. Roedd goleuadau a chonsolau'n fflachio, a swyddogion prysur yn eistedd o flaen eu sgriniau, ond gwenodd pawb a chodi llaw ar Ben a Sara. Aeth Wncwl Steffan â'r plant at ei ddesg.

"Mae'n ddrwg gen i am yr hologram,"

meddai. "Ydych chi wedi datrys cliw'r llygad?"

Soniodd Ben am y trafodaethau gafodd e a Sara yn ystod taith yr hofrenydd.

"Da iawn," mwmialodd eu tad bedydd. "Felly beth yw'r ateb?"

"Mae'n bos anodd iawn," meddai Erica. "Rhowch gliw arall iddyn nhw."

Mwythodd Wncwl Steffan ei ên. "Er mai mamal yw'r anifail, mae'n byw yn y môr."

"Mae 'na nifer o famaliaid môr i'w cael," meddai Ben.

"Ond mae hwn yn glyfar iawn," eglurodd eu tad bedydd.

"Dwi'n gwybod," gwaeddodd Sara ar unwaith. "Dolffin yw e!"

PENNOD DAU

"Ardderchog," meddai Wncwl Steffan. "Dyna blant bedydd clyfar sy gen i!"

Plyciodd Sara'i lawes. "Dwed bopeth wrthon ni!" mynnodd yn ddiamynedd.

"Dwi am i chi edrych ar hwn," meddai Wncwl Steffan, a phwyntio at fonitor mawr oedd yn dangos gwefan parc môr. Edrychai'r parc yn hyfryd a chroesawgar, a'i slogan oedd – "Mundo Marino, seren arfordir y Caribî".

"Mae un o'n swyddogion yn cadw llygad ar weithgareddau parciau dŵr a sŵau ar draws y byd," eglurodd Wncwl Steffan. "Yn

ddiweddar fe glywodd hi am broblemau yn y parc hwn ym Mecsico."

"Ydy'r dolffin yn byw yn y parc?" meddai Sara. "Dwi'n casáu gweld dolffin mewn caethiwed, ond allwn ni ddim rhuthro draw a'i herwgipio."

"Na, paid â phoeni," atebodd ei thad bedydd. "Dyw'r parc ddim yn edrych mor hyfryd nawr. Mae wedi cau."

"Hen ŵr oedd biau'r parc tan chwe mis yn ôl," eglurodd Erica. "Roedd e'n meddwl y byd o greaduriaid y môr. Dw innau ddim yn hoffi gweld dolffiniaid mewn caethiwed, ond roedd Señor Delgado'n ofalus iawn ohonyn nhw."

"Bu farw Señor Delgado, gan adael popeth i'w fab," ychwanegodd Wncwl Steffan. "Roedd y mab yn gwrthod gwario arian ar y parc, ac os oedd un o'r gweithwyr yn cwyno, byddai'n cael y sac. Erbyn i'r awdurdodau glywed am hyn, a chau'r parc, roedd llawer o'r creaduriaid mewn cyflwr gwael."

"Druan â nhw!" meddai Ben.

"Yn waeth fyth," aeth Wncwl Steffan yn ei flaen, "o'r pedwar dolffin trwyn potel oedd yno, dim ond un – gwryw pedair oed o'r enw Dylan – oedd yn dal yn fyw. Mae gan Dylan graith fawr sy'n ymestyn o'i lygad dde i'w wefus isa, felly mae wedi cael ei gamdrin."

"O, ych-a-fi!" llefodd Sara. "Felly, Dylan druan sy angen help. Ond os yw'r parc ar gau, ble mae e nawr?"

"Wyddon ni ddim," atebodd Erica. "Pan glywodd y perchennog fod yr awdurdodau'n mynd i'w arestio, fe daflodd y creaduriaid i gyd i'r môr. Roedd Dylan yn un ohonyn nhw, er mai yn y parc y ganwyd e. Mae'r dyn yn y carchar nawr, diolch byth."

Tapiodd Wncwl Steffan ar yr allweddell, ac ymddangosodd map o Fôr y Caribî ar y

sgrin. Pwyntiodd at smotyn ar arfordir de-ddwyrain Mecsico. "San Miguel – lle gollyngwyd Dylan i'r môr bedwar diwrnod yn ôl."

"Falle 'i fod e yng nghanol y Caribî erbyn hyn 'te," meddai Ben.

"Na, dyw e ddim wedi mynd yn bell, a dyna'r broblem," atebodd Wncwl Steffan. "Rydyn ni wedi bod yn monitro'r newyddion ar y radio lleol, ac mae'n debyg bod dolffin ifanc yn poeni pysgotwyr San Miguel. Dylan yw e, mae'n siŵr. Mae e eisiau bwyta'r pysgod sy yn eu rhwydi."

"Cafodd Dylan ei eni yn y parc, felly mae'n disgwyl i ddynion ei fwydo, yn hytrach na mynd i hela am ei fwyd," ychwanegodd Erica.

"Felly dyw'r pysgotwyr ddim yn hapus," meddai Sara.

"Ddim o gwbl," atebodd Wncwl Steffan. "Dyna pam mae angen eich help ar frys. Os

Contoy
Ynys Blanca
Chiquilá
Colonia
Yucatán
Ynys Mujeres
G
Cancún
MÔR Y CARIBÎ
Kantunilkín
Leona
Vicario
San
Miguel
Playa del
Carmen

na chaiff Dylan ei achub, mae'n siŵr o gael niwed neu gael ei ddal mewn rhwyd. Hefyd mae siarcod yn debyg o ymosod ar ddolffin sy'n nofio ar ei ben ei hun. Mae angen i Dylan ddysgu sut i fyw yn y môr, cyn cael ei ollwng yn rhydd."

"Pwy sy'n gallu dysgu dolffiniaid?" gofynnodd Ben.

"Lloches Ddolffiniaid Agua Clara," eglurodd Wncwl Steffan. "Mae hi tua pum deg cilomedr i ffwrdd, ger Cancun. All staff y lloches ddim teithio'n bell i chwilio am ddolffin sy mewn perygl, achos does ganddyn nhw mo'r amser na'r adnoddau. Ond dwi'n gwybod sut mae hwyluso'u gwaith. Os bydd dau o swyddogion Gwyllt, dau fach clyfar tu hwnt, yn cael gafael ar y dolffin ac yn ei ddenu i rywle diogel nes i'r Lloches ddod i'w nôl …"

"Wel, Ben." Winciodd Sara ar ei brawd. "Am bwy mae ein tad bedydd yn sôn, tybed?"

"Ti a fi, falle?" meddai Ben, gan wenu'n llon. "Dydyn ni ddim yn brysur iawn, ac mae'n wyliau haf …"

Gwenodd Wncwl Steffan o glust i glust. "Ro'n i'n gwybod y byddai 'mhlant bedydd gwych i'n barod i helpu."

"Pryd fyddwn ni'n gadael?" gofynnodd Sara'n eiddgar.

"Byddwn ni'n gadael am San Miguel yn syth ar ôl i chi gasglu'ch cit," meddai Erica. "Mae angen help ar frys ar Dylan. Mi ddweda i mai fi yw eich modryb garedig sy wedi dod â chi ar wyliau tra bydda i'n gweithio. Dwi'n mynd i esgus mai gofalu am yr amgylchfyd yw 'ngwaith."

"Ond gofalu am yr amgylchfyd yw dy waith di!" chwarddodd Wncwl Steffan. "Ac mae gen ti reswm da dros fynd i weld pysgotwyr Mecsico." Trodd at Ben a Sara. "Dwi wedi bod yn ceisio datrys problem dolffiniaid yn cael eu dal yn rhwydi

pysgotwyr. Mae 'na rwydi arbennig sy'n gwichian fel un o famaliaid mawr y môr, ac yn dychryn dolffiniaid i ffwrdd. Ond mae'r rhwydi hynny'n rhy ddrud i bysgotwyr tlawd fel rhai San Miguel, felly dwi wedi datblygu rhai fy hun, sy'n hollol ddibynadwy ac yn llawer rhatach."

"Dwi'n mynd i gynnig rhai i'r pysgotwyr am ddim," meddai Erica. "A thra bydda i'n gwneud hynny, gallwch chi chwilio am Dylan."

"Bydd hi'n wych mynd allan ar y môr," meddai Ben. "Fydd 'na gyfle i snorclo?"

Rhwbiodd Wncwl Steffan ei ddwylo'n frwd. "Wrth gwrs – ac fe gewch chi ddefnyddio fy nyfais ddiweddara."

Agorodd ddrôr ei ddesg, a dechrau twrio drwy'r llanast. O'r diwedd tynnodd allan ddau snorcel a dau bâr o fflipperi, a'u hestyn i Ben a Sara.

"O-o! Mae gen i newyddion i chi,

Wncwl Steffan," meddai Sara. "Mae rhywun wedi dyfeisio'r snorcel yn barod."

"Mae hwn yn edrych fel snorcel cyffredin," meddai Wncwl Steffan, "ond nid dyna beth yw e. TAGELL yw hwn – Tiwb Anadlu Gwych Ecstra Llesol. Yn wahanol i snorcel, mae TAGELL yn rhoi deg munud o ocsigen i chi." Pwyntiodd Wncwl Steffan at declyn Sara. "Welwch chi'r capsiwl bach ger ceg y snorcel? Tanc aer cywasgedig yw hwnna. Os nofiwch chi'n ôl i'r wyneb, bydd y capsiwl yn ail-lenwi'n awtomatig. Hefyd bydd blas mintys yn llifo o'r capsiwl i'ch rhybuddio bod yr aer bron â gorffen. A dwi wedi cynllunio mwgwd sy'n eich helpu i weld yn gliriach o dan y dŵr."

"Dwi'n siŵr bod y ffliperi'n arbennig hefyd," meddai Ben.

"Wrth gwrs." Gwenodd Wncwl Steffan yn falch. "Maen nhw'n llyfn iawn ac yn eich helpu i symud yn gyflym."

"Cŵl!" meddai Ben, gan wisgo'r ffliperi a hercian o gwmpas y stafell. "Maen nhw'n teimlo'n ysgafn iawn – ac yn gryf."

"Pa fath o gwch fydd gyda ni?" gofynnodd Sara.

"Cwch modur?" meddai Ben yn obeithiol.

"Paid â bod yn ddwl," chwarddodd Sara. "Byddai'r injan yn dychryn Dylan."

"Mae Sara'n iawn," meddai Erica. "Bydda i'n trefnu dingi ar eich cyfer."

"Gwych!" Pwniodd Sara'r awyr.

Gwenodd Ben. "Gwych i ti, wrth gwrs."

"Dylet ti fod wedi dod i'r gwersi hwylio haf llynedd," meddai Sara. "Rwyt ti'n difaru nawr, yn dwyt?"

Twriodd Erica drwy ddrôr Wncwl Steffan, ac ar ôl taflu calonnau dau afal a charton llaeth gwag i'r bin, tynnodd allan ddau declyn bach, tebyg i gonsolau gemau. Estynnodd nhw i'r plant. "Allwch chi ddim

mynd heb eich BYGs, wrth gwrs."

Roedd y BYG – Bril-beth y Gwyllt – yn declyn clyfar tu hwnt. Roedd yn gweithredu fel ffôn, traciwr lloerennau, peiriant cyfieithu, a chant a mil o bethau eraill. Roedd gêm neu ddwy arno hefyd.

"Aros funud," meddai Ben. "Fydd y BYG yn gweithio yn y môr?"

"Mae'n dal dŵr," eglurodd Wncwl Steffan. "Dwi wedi rhoi cynnig arno yn y bath." Disgleiriodd ei lygaid yn ddireidus.

“Ddylen ni’u galw nhw’n Bril-beth y Môr o hyn allan, ond mae’r llythrennau’n creu gair anffodus, felly wnawn ni ddim!”

Ochneidiodd Ben a Sara.

“Dwi wedi ychwanegu cragen fach at y teclyn,” meddai Wncwl Steffan. “Estyniad radio yw’r gragen.”

Syllodd Sara ar ei BYG. “Ife hwn yw e?” gofynnodd, gan dynnu darn bach crwn o rwber tua maint darn dwy geiniog oddi ar ei BYG. Yn y rwber roedd teclyn metel.

“Ie,” atebodd Wncwl Steffan. “Mae’n gallu sticio at ochr y cwch drwy ollwng sleim fel cragen maharen. Mae’n gyrru ncgcscuon ac yn adnabod galwadau dan y dŵr. Bydd yr wybodaeth i gyd ar eich sgriniau fel arfer.”

“Grêt,” meddai Sara.

“Hefyd mae ’na fwyd arbennig i ddenu Dylan,” meddai Erica.

“Fi greodd y rysáit fy hunan,”

ychwanegodd Wncwl Steffan. "Mae'n flasus i ddolffiniaid, ond ddim i neb arall."

"Gwych!" meddai Sara. "Fydd dim rhaid i ni ddianc rhag haig o diwna llwglyd 'te!"

"Barod i fynd?" gofynnodd Wncwl Steffan. "Dwi wedi rhoi tanwydd yn jet Gwyllt ac mae'n barod i hedfan. Mae Dylan yn dibynnu arnoch chi."

"Rydych chi wedi anghofio dweud un peth, Dr Fisher," nododd Erica.

"Ydw i?" atebodd Wncwl Steffan yn syn.

"Y tywydd?"

"O ie!" gwaeddodd eu tad bedydd. "Da iawn, Erica. Mae'n dymor y corwyntoedd yn y Caribî."

"Diolch am y rhybudd!" ebychodd Ben.

Crychodd Wncwl Steffan ei dalcen. "Dwi ddim wedi'ch dychryn, gobeithio."

"Na!" gwaeddodd Sara. "Dylan, dyma ni'n dod!"

PENNOD TRI

Gwisgodd Sara'i chrys-T a'i siorts dros ei siwt rwber, a syllu drwy ffenest y gwesty ar yr awyr las.

"Mae'n ddiwrnod braf," meddai. "Gwynt ysgafn. Diwrnod da i hwylio. Tywydd gwych ar gyfer ein tasg."

Roedd Erica a'r plant wedi cyrraedd gwesty Casa Blanca yn San Miguel yn hwyr y noson cynt. Roedd hi'n dywyll pan adawon nhw'r jet yn y maes awyr a chymryd tacsi i'r gwesty. Roedd y perchennog, Señor Rodriguez, wedi'u croesawu ac wedi cynnig diodydd poeth a phlataid mawr o fisgedi. Roedd y brecwast fore drannoeth yr un mor flasus.

"Dere, Sara," meddai Ben yn ddiamynedd. "Bant â ni."

"Gan bwyll," chwarddodd Sara. "Rhaid i ni wneud yn siŵr bod popeth gyda ni."

Eisteddodd ar ei gwely ac estyn ei rycsac.

"Cit cymorth cyntaf, beinociwlars, TAGELLi ..." rhestrodd.

"... ffliperi, gwregys nofio â chyllell, bwyd i Dylan," mwmialodd Ben, gan roi popeth yn ôl yn ofalus. "Sut mae dy Sbaeneg di?"

"Dwi'n gallu dweud 'diolch' ac 'os gwelwch yn dda'," meddai Sara.

"Beth am – ydych chi'n gwybod ble mae'r dolffin sy ar goll, achos rydyn ni eisiau'i achub a mynd ag e i loches?" gofynnodd Ben yn ddireidus.

"Gei di ofyn hynny!" meddai Sara fel saeth.

Cododd Ben ei BYG a thynnu'r clustffon bach plastig yn rhydd. "Mae gyda ni offer cyfieithu, felly fe fyddwn ni'n deall popeth, ta beth," meddai, a rhoi'r teclyn bach yn ei glust.

Gwnaeth Sara 'run fath, a gwasgodd y ddau'r botymau cyfieithu.

Ar y gair dyma BYG Ben yn crynu.

"Neges oddi wrth Erica," galwodd. "Mae wedi llogi'r dingi. Mae e'n disgwyl amdanon ni wrth y lanfa."

"Tybed sut hwyl gaiff Erica, pan aiff hi i siarad â'r pysgotwyr?" gofynnodd Sara, wrth roi ei fflipiperi, ei mwgwd a'i snorcel yn ei rycsac. "Drwy lwc mae ei Sbaeneg hi'n arbennig o dda. Fyddwn i ddim yn hoffi gorfod disgrifio sut mae rhwydi Wncwl Steffan yn gweithio!"

Doedd Erica ddim wedi llaesu dwylo. Ar ôl brecwast, roedd hi wedi mynd i bentref mawr cyfagos i geisio perswadio'r pysgotwyr i dreialu'r rhwydi newydd.

Cododd Ben ei rycsac ar ei gefn. "Dere i

holi'r bobl leol am Dylan."

"Syniad da," meddai Sara, a'i ddilyn i'r dderbynfa.

"Ac fe brynwn ni fwyd yn y pentref," meddai Ben.

"Rwyt ti newydd gael brecwast!" protestiodd Sara. "Alla i ddim credu bod eisiau bwyd arnat ti! Roedd y siocled poeth a'r tortilas sbeislyd yn ddigon i lenwi bol unrhyw un."

"Meddwl am ginio ydw i," meddai Ben.

Daeth Señor Rodriguez at y ddesg i dderbyn yr allwedd.

Edrychodd ar sachau trwm y plant.

"Ydych chi'n mynd ar daith hir?"

"Rydyn ni'n mynd i hwylio," meddai Sara. "Mae ein modryb yn llogi cwch i ni. Mae'r môr mor glir yma – yn wahanol i Gymru – ac rydyn ni eisiau gweld y creaduriaid sy'n byw yn y dŵr."

"Mae fy chwaer yn dwlu ar ddolffiniaid

gwyllt," eglurodd Ben. "Os na welith hi un, bydd hi'n grwgnach yn ddi-stop!"

"Falle byddwch chi'n lwcus," meddai Señor Rodriguez. "Mae'r pysgotwyr yn aml yn gweld dolffiniaid allan yn y môr. Ond gwrandewch, falle fydd dim rhaid i'ch

modryb fynd â chi'n bell. Falle gwelwch chi'r dolffin oedd yn yr hen barc môr."

"Sut hynny?" gofynnodd Sara'n ddiniwed.

Dwedodd Señor Rodriguez hanes cau'r parc môr. Roedd Ben a Sara wedi clywed yr hanes o'r blaen, wrth gwrs, ond ddwedon nhw 'run gair. "Mae sawl un wedi gweld y dolffin. Ddoe ddiwetha, roedd Filiberto'n dweud wrtha i fod y dolffin wedi dod ato pan oedd e'n pysgota â gwialen a llinyn. Roedd e'n dipyn o niwsans, mae'n debyg. Roedd e'n galw ar Filiberto ac yn taro ochr y cwch. Wedyn fe wnaeth rywbeth doniol. Fe gododd o'r dŵr a cherdded tuag yn ôl ar ei gynffon."

"Dolffin dof yw e, felly," meddai Sara.

"Byddwch chi'n ofalus," ychwanegodd Señor Rodriguez. "Mae dolffiniaid yn ddigon diniwed, ond mae 'na siarcod allan yn y bae. Felly, peidiwch â nofio o'r cwch."

“Fe wyliwn ni rhag y siarcod,” meddai Ben.

I ffwrdd â’r plant ac anelu am y môr. Cerddodd y ddau ar hyd y ffordd arw a llychlyd nes cyrraedd canol San Miguel. Yno roedd eglwys gydag ychydig o dai o’i chwmpas. Disgleiriai haul y bore ar y toeau o deils coch.

Aeth Ben a Sara rownd y gornel a gwichian yn falch. O’u blaenau, dan haul tanbaid, disgleiriai môr gwyrddlas y Caribî. Ger y traeth roedd ychydig o westai a siopau anrhegion, ond doedd dim sôn am dwristiaid. Roedd y bae’n llydan. Ymestynnai glanfa bren i’r dŵr, a sbonciai cychod ar y tonnau mân, pob un yn sownd wrth fwi coch. Hwyliai nifer o gychod pysgota tua’r lan â llwythi o bysgod ar eu bwrdd. Gwrandawodd y plant ar rwnan pell yr injans, a syllu ar ynys fach ar y gorwel, lle tyfai coed palmwydd.

"Ynys gwrel yw honna," meddai Ben wrth ei chwaer. "Darllenes i amdani ar y jet."

Syllodd Sara drwy'i beinociwlars ar y penrhyn ym mhen pella'r bae, lle safai hen adeiladau blêr â ffens sigledig o'u cwmpas. Sylwodd ar arwydd tolciog yn hongian yn gam ar ei golyn.

"Mundo Marino," snwffiodd Sara. "Dyna lle'r oedd Dylan druan yn byw."

"Cyn hir bydd e mewn lle gwell o lawer!" meddai Ben.

Cerddodd y ddau i lawr y stryd fawr, heibio siopau anrhegion, tafarn a nifer o siopau bwyd.

Roedd rhai o'r siopwyr yn rhoi caeadau pren dros eu ffenestri.

"Mae pobman yn cau," meddai Sara'n syn.

Roedd drws un archfarchnad fach yn dal ar agor, er bod y caeadau yn eu lle.

"O leia fe allwn ni brynu bwyd," meddai Ben, gan wthio'r drws ar agor a sniffian arogl hyfryd bara ffres a chigoedd oer.

“Helô,” galwodd Sara ar y wraig y tu ôl i’r cownter, wrth i Ben lyfu’i wefusau a syllu ar y pasteiod o’u blaen. “Ydych chi’n siarad Saesneg?”

Nodiodd y wraig. “Ychydig bach,” atebodd.

“Pam mae’r siopau’n cau?” gofynnodd Sara a phwyntio at y ffenestri.

“Corwynt,” atebodd y wraig gan wenu’n gam.

Trodd Sara at Ben. “Am newyddion drwg!” sibrydodd mewn braw. “Dyw Dylan ddim yn gyfarwydd â byw yn y môr, yn enwedig mewn corwynt!”

PENNOD PEDWAR

"Rhaid i ni fynd â Dylan i'r lloches cyn i'r corwynt daro'r bae," mwmialodd Ben. "Os yw e'n agos at y lan, bydd yn anodd iawn iddo nofio yn y tonnau cryf – a bydd coed a sbwriel yn chwyrlïo drwy'r môr. Gallai Dylan gael niwed."

"Gobeithio bod digon o amser i'w ddal," atebodd Sara. "Brysia i ddewis dy fwyd. Rhaid i ni ddarganfod pryd mae'r corwynt yn debyg o gyrraedd."

Casglodd Sara ffrwythau, creision a photeli o ddŵr ar ras, a phwyntiodd Ben at y pasteiod mwyaf yn y siop, sef pasteiod cyw iâr a chaws meddal.

"Pastelitos," meddai'r perchennog, a'u lapio. "Da iawn."

"Pryd fydd y corwynt yn cyrraedd?" gofynnodd Sara, wrth estyn yr arian.

"Corwynt … yn … yn …" Fedrai'r wraig ddim egluro yn Saesneg. Aeth â nhw at y drws a phwyntio at gaffi gerllaw. Roedd y teras y tu allan yn wag, a'r byrddau a'r cadeiriau wedi'u cadw.

"Saesneg da!" meddai, a phwyntio at berchennog y caffi, oedd yn rhoi'r caead olaf yn ei le dros y ffenestri. "Fe dweud."

Diolchodd y plant iddi a mynd draw i'r caffi. Roedd y coed yn ysgwyd fymryn yn yr awel, ond roedd yr awyr yn las.

"Does dim sôn am storm," meddai Ben.

Gwenodd perchennog y caffi ar y ddau. Roedd ganddo wyneb serchog, llygaid brown, disglair a mwstásh trawiadol.

"Tybed a allwch chi'n helpu ni?" gofynnodd Sara. "Fe glywson ni fod corwynt

yn dod. Ond mae'n anodd credu – mae'r tywydd mor hyfryd."

"Mae'r Ganolfan Gorwynt Genedlaethol wedi dweud falle bydd un yn dod yn weddol agos," atebodd. "Felly rhaid bod yn ofalus, rhag ofn. Bydd yn dod prynhawn 'ma, ond

rydyn ni'n barod amdano."

"Prynhawn 'ma?" gofynnodd Sara. "Diolch byth. Gallwn ni fynd i hwylio bore 'ma, felly."

"Dydych chi ddim yn edrych yn ofidus iawn," meddai Ben wrth berchennog y caffi.

Cododd y dyn ei ysgwyddau. "Na. Rydyn ni'n mor gyfarwydd. Storm yn dod, rhoi popeth i gadw. Storm yn mynd, agor eto. Beth arall allwn ni ei wneud?"

Ar y gair, gwthiodd dyn mewn oferôls pysgota ei ben rownd y drws a dweud rhywbeth yn Sbaeneg. Clywodd Ben a Sara'r cyfieithiad drwy'u BYGs. "Newydd glywed, Enrico. Mae'r corwynt yn symud tua'r gogledd. Ddaw e ddim yn agos aton ni."

Ailadroddodd Enrico'r newyddion. "Mwynhewch eich hwylio," meddai wrth Ben a Sara, a dechrau tynnu'r caeadau o'r ffenestri. "Ac os gwelwch chi bysgod wedi marw – pysgod anghyffredin – peidiwch â phoeni. Mae'r dŵr yn iawn. Pysgod wedi'u … beth yw'r gair? ... wedi'u dympio o Mundo Marino ydyn nhw."

"Fe glywson ni'r hanes," meddai Ben.

"Ond gwyliwch rhag y dolffin dof," rhybuddiodd Enrico. "Mae'n gallu dymchwel cwch bach. Mae'r pysgotwyr o'u co."

"Ond fyddan nhw ddim yn gwneud niwed i'r dolffin, fyddan nhw?" meddai Sara'n ofidus.

Cododd y dyn ei ysgwyddau. "Mae'n rhaid iddyn nhw ennill eu bywoliaeth, ac mae hynny'n ddigon anodd fel y mae."

Cododd un o'r byrddau a'i gario allan i'r teras.

"Druan â Dylan," meddai Sara. "Chwilio am fwyd mae e, dyna'r cyfan."

"Chwilio am fwyd mae'r pysgotwyr hefyd," atebodd Ben.

"Graçias," galwodd Sara ar berchennog y caffi. "Diolch am eich help."

Rhedodd y plant ar hyd y ffordd arw i'r bae ac anelu am y lanfa bren oedd yn ymestyn o'r traeth.

"Trueni na ches i ddim gwersi hwylio fel ti," meddai Ben a'i wynt yn ei ddwrn. "Roedd yn well gen i bêl-droed ar y pryd."

"Paid â phoeni," atebodd Sara. "Os gwrandewi di arna i, bydd popeth yn iawn. Ti fydd y mêt."

"Grêt!" ochneidiodd Ben. "Esgus da i ti weiddi arna i!"

Ar y traeth roedd arwydd tolciog mewn Saesneg a Sbaeneg – "Cychod i'w Llogi" – a saeth yn pwyntio at ben pella'r lanfa.

Yno roedd cwch bach ag un hwylbren wedi'i glymu wrth bostyn, a'i baent gwyrdd yn plisgo. Y tu mewn i'r cwch rhedai meinciau cul ar hyd y ddwy ochr. Yn ei ymyl safai gwraig mewn siorts a thop lliwgar. Cododd ei llaw ar Ben a Sara wrth i'r ddau ddod tuag ati.

"Hwnna yw'n cwch ni 'te," meddai Ben. "La Gaviota."

"Mae e'n gwch bach digon syml," meddai Sara, "ond bydd e'n ein siwtio ni'n dau i'r dim."

"Cwch i Bohn?" meddai'r wraig yn ei Saesneg bratiog. "Llogi un diwrnod?"

"Ie," atebodd Sara'n eiddgar. "Byddwn ni'n hwylio ar hyd yr arfordir."

"Modryb dweud, chi gallu hwylio." Edrychodd y wraig yn amheus ar y plant a mwmial yn ei hiaith ei hun. "Mor ifanc."

Llyncodd Ben yn nerfus.

"Dwi wedi gwneud arholiadau," meddai Sara. Roedd hynny'n hollol wir.

"Da iawn." Estynnodd y wraig ddwy

siaced achub. "Gwisgo nhw drwy'r amser. Dyna'r rheol."

Gwisgodd Ben a Sara'r siacedi oren.

"Diolch," meddai Sara. Plygodd, tynnu'r rhaff tuag ati a dal yn dynn ym mlaen pigfain y cwch. Gollyngodd y ddau rycsac ar lawr y cwch a nodio ar ei brawd. "Dere, Ben. Dringa i mewn."

Plethodd y perchennog ei breichiau a'u

gwylio fel barcud. Roedd hi am wneud yn siŵr fod ei chwch yn ddiogel yn nwylo dau blentyn. Gwenodd Ben mor ddewr ag y gallai a chamu i'r dingi, ond siglodd hwnnw'n wyllt.

"Aaa!" A'i freichiau'n troi fel melin wynt, cydiodd Ben yn dynn yn yr hwylbren.

"Mae Ben yn hoffi jôc!" meddai Sara'n gyflym, wrth i Ben ddisgyn ar fainc a

gwenu'n lletchwith. Ond doedd y wraig ddim yn gwenu, sylwodd.

Cyn iddi ddweud gair, datododd Sara'r rhaff ar frys a mynd i mewn i'r cwch. Cododd yr hwyliau, mynd i'r starn a gafael yn y llyw. Wrth i'r gwynt lenwi'r hwyliau, llywiodd y cwch i ganol y bae.

"Popeth yn iawn hyd yn hyn," meddai Ben, gan edrych tuag yn ôl. "Ond mae'r wraig yn dal i syllu. Sut galla i brofi 'mod i'n forwr profiadol?"

"Cer i reoli'r jib," meddai Sara, a phwyntio at yr hwyl fach drionglog ym mhen blaen y llong.

"Rheoli'r jib?" Cydiodd Ben yng nghornel gwaelod yr hwyl flaen. "Alla i byth gydio am hir," meddai, gan ymladd â'r cynfas oedd yn fflapio yn y gwynt. "Mae'n tynnu yn fy erbyn i."

Chwarddodd Sara dros y lle. "Rwyt ti i fod i gydio yn y rhaff sy'n rheoli'r hwyl. Mae hi i lawr fan'na, yn sownd wrth yr ochr. Tynna hi o'r gleten. Clip yw cleten, rhag ofn nad wyt ti'n gwybod."

"Doniol iawn. A fyddet ti ddim gwerth am egluro rheolau pêl-droed!" Tynnodd Ben y rhaff yn rhydd a gwenu'n llon. "Ta beth, mae gyda ni waith i'w wneud. Rhaid i ni chwilio am Dylan."

"Beth am edrych amdano rhwng y cychod pysgota sy wedi angori draw fan'na?" awgrymodd Sara. "Barod i newid tac? Rhaid i ti ollwng y rhaff pan ddweda i wrthot ti, a symud i ochr draw'r dingi. O, a gwylia'r peth mawr pren sy'n symud ar draws y cwch."

"Y bŵm, ti'n feddwl?" meddai Ben. "Dwi'n gwybod beth yw hwnnw!" Trawodd ei droed yn erbyn rhywbeth caled dan y fainc. Plygodd a gweld bwced ar raff hir. Roedd pen arall y rhaff yn sownd wrth fachyn. "Bwced?" gofynnodd. "Ar gyfer salwch môr?"

"Ar gyfer taflu dŵr o'r cwch, y lembo," dwrdiodd Sara. "Clyma'r ddau rycsac i'r bachyn hefyd. Mae'n bwysig bod popeth yn sownd." Syllodd o'i blaen. "Ocê, barod i wyro? Gyda'r gwynt."

"Siarada Gymraeg," meddai Ben.

"Iawn." Chwarddodd Sara. "Gwylia. Mae'r cwch yn mynd i droi."

Gwthiodd Sara'r llyw oddi wrthi. Symudodd y bŵm ar draws y cwch, ac aeth y plant i'r ochr draw a chydio yn y rhaffau.

A gwynt ysgafn yn ei hwyliau, symudodd y dingi rhwng y cychod bach oedd yn sownd wrth fwiau ac yn sboncio ar y tonnau. Tynnodd Ben y BYG o'i rycsac, sgrolio drwy raglen adnabod anifeiliaid, a gwasgu botwm 'gwrando am alwadau dolffin'. Yna fe dynnodd y gragen o'r BYG, estyn dros ymyl y cwch a'i sticio ar y pren o dan y llinell ddŵr.

"Dim byd hyd yn hyn," meddai Ben, a syllu ar sgrin y BYG.

"Awn ni ymhellach i ganol y bae a rhoi cynnig arni eto," meddai Sara, gan gymhwyso'r brif hwyl fel ei bod yn dal yr awel.

Roedden nhw newydd gyrraedd y bwi olaf cyn y môr agored, pan ddaeth neges ar y sgrin.

"Mae'r gragen wedi clywed rhywbeth," ebychodd Ben. "Dolffin! Ac mae e'n agos iawn."

PENNOD PUMP

Syllodd y ddau o'u cwmpas yn eiddgar. Ychydig bellter i ffwrdd crynodd wyneb y môr, a daeth dolffin llwyd i'r golwg. Neidiodd yn osgeiddig, ar siâp bwa, a disgyn yn ôl i'r tonnau. Gan fod y dŵr mor glir, fe welson nhw e'n gwibio heibio'r cwch.

"Wyt ti'n meddwl mai Dylan yw e?" gofynnodd Sara'n llawn cyffro.

"Wn i ddim – mae e'n edrych fel oedolyn," meddai Ben yn amheus.

Ar y gair daeth rhagor o ddolffiniaid mawr i'r wyneb.

"Haid o ddolffiniaid!" ebychodd Sara. "Wrth gwrs, rydyn ni'n bellach o'r lan, ac

yn clywed pob dolffin sy yn yr ardal."

Gwibiodd y pysgod slic heibio'r dingi, llamu o'r môr a disgyn yn llyfn i'r dŵr.

"Maen nhw'n rasio'r cwch!" ebychodd Ben.

"Wel, does gyda ni ddim gobaith eu curo," atebodd Sara gan chwerthin.

Neidiodd y dolffiniaid o flaen y cwch gan wau drwy'i gilydd, ac yna diflannu mor sydyn ag y daethon nhw.

Syllodd Sara ar eu hôl. "Dyna sioe! Doedd dim angen chwiban na gwobr ar y dolffiniaid hyn, yn wahanol i ddolffiniaid y parciau môr. Roedden nhw moooooor bert."

Gwenodd Ben a rholio'i lygaid. "Dyma ni'n ôl yng Nghae Slwtsh!" ochneidiodd. "Er, dwi'n cytuno. Roedden nhw yn wych."

"Dyna braf fyddai gweld Dylan yn ymuno â haid," ochneidiodd Sara.

"Does dim pwynt gwrando am Dylan, nes i'r haid fynd o'r ffordd," meddai Ben.

"Af i ymhellach i'r bae," meddai Sara. "Fan'ny mae e, dwi'n siŵr."

Hwyliodd y ddau yn ôl ac ymlaen rhwng y bwiau, ond chlywson nhw 'run smic o'r BYG.

"Rhaid i ni fynd i rywle arall," meddai Ben o'r diwedd. "Rydyn ni wedi chwilio am awr, a does dim sôn am Dylan."

Yn sydyn, fe glywson nhw rywun yn gweiddi yn y pellter. Trodd y ddau a gweld cwch bach yn y môr y tu hwnt i'r bae, a'i injan yn grwnan.

"Cwch pysgota," meddai Sara. "Mae'n dod â'i lwyth yn ôl i'r lan."

Diffoddwyd yr injan yn sydyn ac aeth pobman yn dawel.

"Dwi'n meddwl bod rhywbeth o'i le ar y rhwyd," meddai Ben.

Roedd dau o'r criw yn gwneud eu gorau glas i dynnu rhwyd werdd lachar ar fwrdd y llong, a dyn arall yn gweiddi cyfarwyddiadau, ac yn ceisio cadw'r cwch yn wastad.

Clywodd Ben a Sara air neu ddau drwy'r cyfieithydd ar eu BYGs.

"Mae rhywbeth yn sownd yn y rhwyd."

"Rhywbeth mawr."

"Mae'n gwingo. Gall o ddymchwel y cwch."

Estynnodd Ben ei feinociwlars. "Beth bynnag sy yn y rhwyd," meddai'n ofidus, "mae e mewn peryg." Edrychodd ar sgrin y BYG. "Dylwn i fod wedi edrych yn gynt. Mae'r sgrin yn dweud 'dolffin'!"

"Falle mai Dylan yw e," llefodd Sara. "Gwylia'r bŵm!" Trodd y cwch yn sydyn wrth i Sara hwylio tuag at y pysgotwyr gofidus.

"Yn ôl y BYG, mae'r dolffin wedi 'i ddychryn," meddai Ben wrthi. "Hyd yn oed os mai dolffin dierth yw e, rhaid i ni fynd i'w helpu."

Gwasgodd fotymau. "Dwi'n recordio'r alwad, rhag ofn. Mae gan bob dolffin alwad wahanol, ac os mai Dylan yw hwn, byddwn ni'n gallu 'i nabod eto."

Llywiodd Sara'r dingi tuag at y bwiau yn y bae. Gostyngodd yr hwyliau a chlymu'r cwch i'r bwi agosaf. Estynnodd Ben eu TAGELLi a'u ffliperi.

"Pe bai gen i gyllell hwylio, gallwn i dorri'r rhwyd," meddai Sara.

"Mae gen i rywbeth gwell," nododd Ben. "Cyllell blymio." Tynnodd gyllell o'i rycsac a chlipio'r wain i'w wregys.

"Cofia beth ddwedodd Señor Rodriguez," meddai Sara. "Rhaid i ni wylio rhag y siarcod."

Nodiodd Ben a thynnu'i siaced achub a'i

ddillad. "Mae'n ddrwg gen i, Mrs Perchennog y Cwch," meddai, gan wisgo'r mwgwd a'r snorcel, "ond weithiau rhaid torri rheolau."

Clymodd gortyn y BYG ar ei wregys blymio. Gwnaeth Sara 'run fath.

"Cofia, dim ond deg munud o aer sy gen ti," rhybuddiodd Sara.

Gwasgodd Ben ei fawd a'i fys blaen at ei gilydd i wneud cylch – sef 'Ocê' yn iaith plymiwr – a neidio i'r dŵr.

Wrth iddo suddo, rhuthrodd y dŵr i'w glustiau. Cododd rhes o swigod o flaen ei wyneb, a phan ddiflannon nhw, gwelodd siâp hir, tywyll y cwch pysgota. Gyda help TAGELL, gallai anadlu yn union fel pe bai'n cario tanc ocsigen.

Roedd y dŵr yn glir iawn, felly gofalodd Ben nofio y tu ôl i gefnau'r pysgotwyr, rhag ofn i'r dynion sylwi arno. Erbyn hyn gallai weld y rhwyd. Roedd hi'n llawn pysgod, ac

yn ysgwyd yn wyllt. Wrth fynd yn nes, gwelodd lygad yn syllu arno mewn braw. Llygad dolffin!

Pan gyrhaeddodd Sara, cododd Ben ei fawd a nofiodd y ddau i'r wyneb, heb i'r pysgotwyr eu gweld.

"Mae'r dolffin wedi 'i ddal yn sownd yn y rhwyd," meddai, gan arnofio yn yr unfan.

“Pan mae’n gwingo, mae’n mynd yn fwy sownd. All e byth ddianc heb help.”

“Druan ag e,” ebychodd Sara. “Wyt ti’n meddwl mai Dylan yw e?”

“Dim syniad,” atebodd Ben. “Rhaid i ni nofio’n ôl ato. Fe dorra i’r rhwyd â ’nghyllell, ond dwi ddim eisiau iddyn nhw ’ngweld i.”

“Na,” cytunodd Sara. “Rhaid i ni nofio o dan y cwch – a chadw’n ddigon pell o’r propelor.”

Plymiodd y ddau o dan y cwch pysgota.

Chwiliodd Sara am dyllau yn y rhwyd neilon, ac ysgwyd ei phen ar ei brawd.

Cydiodd Ben yn dynn yn y rhwyd, rhag ofn i’r môr ei sgubo i ffwrdd, a thynnodd ei gyllell o’r wain. Ysgydwodd y rhwyd yn chwyrn wrth i ben y dolffin ddod i’r golwg. Roedd e’n gwthio’i drwyn yn wyllt yn erbyn waliau ei garchar.

Gwasgodd Ben fraich Sara a phwyntio at

y graith gam ar wyneb y dolffin, a honno'n ymestyn o'r llygad i'r wefus isaf.

Roedden nhw wedi darganfod Dylan!

PENNOD CHWECH

Dyw hyn ddim yn gweithio, meddyliodd Ben, gan ddal ati i lifio â'i gyllell. *Wrth i Dylan wylltio, mae'n mynd yn fwy sownd yn y rhwyd. Os na alla i ei ryddhau'n fuan, fydd ganddo ddim aer ar ôl.*

Roedd hi'n ddigon anodd torri rhwyd lithrig dan y dŵr, heb orfod poeni am ddolffin mewn panig. Bob tro roedd Ben yn trio torri'r rhwyd, roedd Dylan yn gwingo'n wyllt. Bron iawn i Ben dorri'i law. Collodd afael ar ei gyllell sawl gwaith a byddai honno wedi disgyn i wely'r môr, oni bai ei fod wedi'i chlymu'n sownd i'w wregys â darn o gortyn.

Gwingodd Dylan eto, a chrafodd Ben ei law â'r gyllell. Er bod y clwyf yn brathu, ymosododd ar y rhwyd unwaith yn rhagor, a llwyddo i dorri dau linyn.

Roedd Sara wedi sylwi fod Dylan yn achosi problem i Ben. Nofiodd tuag at y dolffin. Syllodd Dylan arni am foment â'i lygaid yn llawn braw, a dechreuodd wingo eto. Cydiodd Sara yn ei drwyn drwy'r rhwyd, a mwytho'i ben.

Tawelodd Dylan rywfaint. Torrodd Ben drwy linyn arall, ac un arall a cheisio rhwygo'r rhwyd.

Helpodd Sara'i brawd i dorri'r neilon trwchus. Yn sydyn, roedd trwyn Dylan yn rhydd. Daliodd y plant ati i rwygo, a'r neilon garw'n gwasgu i'w dwylo. O'r diwedd llwyddon nhw i lusgo'r rhwyd dros ben y dolffin. Un plwc arall, ac roedd ei fliperi'n rhydd. Ond nawr roedd y rhwyd yn sownd am asgell ei gefn. Cydiodd Ben a Sara yn y rhwyd a thynnu'n chwyrn. Gan ysgwyd ei gynffon, ffrwydrodd Dylan drwy'r twll a thasgu i wyneb y dŵr.

Nawr roedd rhywbeth arall yn poeni Sara. Beth os byddai'r pysgotwyr yn digio wrth weld y twll yn eu rhwyd, ac am ddial ar y dolffin bach? Roedd y rhwyd yn codi'n araf drwy'r dŵr wrth i'r dynion ei weindio i'r cwch, a'r pysgod yn dianc drwy'r twll. Nofiodd Sara i ochr arall y cwch i edrych am Dylan a cheisio'i ddenu ati. Ond roedd Dylan yn cael hwyl yn neidio i mewn ac allan o'r dŵr, gan wneud ei orau i dynnu

sylw'r pysgotwyr. Drwy lwc, doedd y dynion ddim wedi sylwi. Roedden nhw'n rhy brysur yn gweiddi'n groch am fod eu pysgod wedi dianc.

Chwifiodd Sara'n wyllt ar Dylan, a phlymio o dan y dŵr. Dyna falch oedd hi o weld y dolffin yn nofio tuag ati. *Mae'n edrych fel petai gwên ar ei wyneb*, meddyliodd. Gwthiodd ei drwyn yn chwareus i'w bol, a throi i nofio ar ei gefn. Plymiodd Sara'n ddyfnach a Dylan yn ei dilyn. *Mae'n gyfarwydd â phobl*, meddyliodd. *Fe ddaw e gyda ni. Bydd popeth yn iawn.*

Roedd Ben yn dal yn yr un man. Am ryw reswm roedd yn chwarae â'r rhwyd. Sylweddolodd Sara beth oedd o'i le. Roedd cortyn ei gyllell yn sownd – a Ben yn sownd hefyd.

Roedd ei brawd yn gwneud ei orau glas i ryddhau'r gyllell. Doedd e ddim am ddatod y cortyn ar ei wregys a nofio i ffwrdd, gan

adael y gyllell ar ôl, rhag ofn i'r pysgotwyr sylwi bod rhywun wedi torri'r rhwyd yn fwriadol. Doedd Ben ddim am golli'i gyllell, chwaith. Falle byddai'n handi eto.

Yn sydyn blasodd Ben fintys yn ei geg. Roedd y TAGELL yn rhedeg allan o aer. Daliodd Ben ei anadl a thynnu'n chwyrn ar y rhwyd. Roedd e'n dda am ddal ei anadl, ond a fyddai hynny'n ddigon?

Teimlodd law'n cyffwrdd â'i law e.

Roedd Sara wedi cyrraedd. Gweithiodd Sara'n gyflym â'i bysedd ystwyth, gan wthio Dylan o'r ffordd, pan ddôi'n rhy agos. O'r diwedd roedd y gyllell yn rhydd, ond cael a chael oedd hi! Tasgodd y rhwyd i'r wyneb, gan daflu Ben bendramwnwgl drwy'r dŵr.

Roedd Ben a Sara ar fin nofio'n ddigon pell o'r cwch, pan glywson nhw ru fyddarol. Dechreuodd y dŵr gorddi o'u cwmpas. Roedd y propelor yn troi. Roedd y dynion wedi llusgo'r rhwyd a'r ychydig bysgod oedd ynddi ar fwrdd y cwch, ac wedi cychwyn yr injan.

Wwwsh! Diflannodd Dylan o'r golwg. Roedd y sŵn a'r corddi gwyllt wedi 'i ddychryn. Uwch eu pennau, dechreuodd y cwch symud drwy'r dŵr.

Ciciodd Ben ei goesau a dianc ar ras rhag y llafnau. Roedd ei ysgyfaint bron â ffrwydro erbyn hyn. Stryffagliodd i'r wyneb a llyncu'r aer yn awchus.

Cododd Sara yn ei ymyl. "Wyt ti'n iawn?" gofynnodd.

"Dwi'n iawn nawr," pesychodd Ben, "ar ôl cael aer."

"Rwyt ti'n gwaedu!"

Edrychodd Ben ar y clwyf ar ei law. "Dim

byd mawr," meddai wrth ei chwaer. "Dim ond crafiad gan y gyllell. Y cwestiwn pwysig yw, ble mae Dylan?"

"Bydd hi'n haws chwilio amdano ar ôl mynd yn ôl i'r dingi," meddai Sara. "Dyw e ddim wedi mynd yn bell."

Edrychodd Ben o'i gwmpas wrth nofio. "Ti'n iawn! Dwi'n gweld ei asgell," meddai, a phwyntio tua'r gorwel. "Mae e'n dod tuag aton ni ar ras."

Nofiodd Sara yn ei hunfan ac edrych ar ei BYG.

"Nid Dylan yw e," llefodd. "Ac nid dolffin chwaith. Nofia at y dingi!"

"Be sy'n bod?" gofynnodd Ben.

"Siarc yw e!"

PENNOD SAITH

Chwyrnellodd Ben a Sara drwy'r tonnau, a'r môr yn rhuo yn eu clustiau. Er eu bod yn gwisgo ffliperi mega-cyflym, doedden nhw ddim hanner mor gyflym â'r bwystfil brawychus oedd wedi arogli'r gwaed ar law Ben ac yn gwibio tuag atyn nhw. Cymerodd Ben gip cyflym tuag yn ôl dan y dŵr. Difarodd ar unwaith pan welodd lygaid pitw'r siarc a'i ddannedd pigfain. Byddai wedi'u dal cyn iddyn nhw gyrraedd y dingi. Ciciodd Ben yn wyllt. Doedd e ddim am lanio ym mol siarc!

Roedd Sara wedi cyrraedd y dingi.

Gwelodd Ben ei choesau'n diflannu dros yr ymyl. Gydag un ymdrech anferthol, hyrddiodd ei hun at y cwch. Teimlodd don fawr yn gwthio yn ei erbyn, wrth i'r siarc anelu amdano.

Ceisiodd Ben godi ei hun o'r dŵr, ond yn

ei banig collodd ei afael ar y cwch a disgyn yn ôl i'r tonnau. Gwelodd siâp llwyd, bygythiol y siarc yn cylchu oddi tano, yn barod i ymosod eto. Roedd ffrwd fach denau o waed yn llifo o'i law, ac yn cyffroi'r bwystfil barus. Crafodd Ben ymyl y cwch a chicio'n wyllt. Yna, wrth i'r siarc ymosod, teimlodd law Sara'n gafael yn ei fraich ac yn ei lusgo i ddiogelwch y cwch.

Disgynnodd Ben yn swp ar y dec, wrth i'r siarc daro'r cwch. Gorweddodd yno'n ymladd am ei wynt, tra syllai Sara mewn braw dros yr ymyl, a gwylio'r corff llwyd yn troi a throelli ac yn ysgwyd y cwch, wrth iddo chwilio am ei brae.

"Rhaid i ni ddianc," ebychodd, "rhag ofn iddo ddymchwel y cwch!"

Gan grynu fel deilen, disgynnodd Sara ar ei sedd, tynnu'i hoffer snorclo a chodi'r hwyliau. Cyn hir roedd y dingi'n dianc o'r bae, gan sboncio'n chwim dros y tonnau.

Ond roedd y siarc yn dal i'w herlid. Dilynai'r asgell lwyd union lwybr y cwch.

Sgroliodd Ben drwy ddewislen y BYG. "Siarc gwryw yw e," darllenodd. "Maen nhw'n aml yn ymosod heb reswm. Fe aroglodd e'r gwaed o'm llaw i."

"Mae'n dod yn syth aton ni," gwaeddodd Sara.

"Mae'n mynd i daro'r cwch!" llefodd Ben.

Arafodd y siarc cyn cyrraedd y cwch a throi i ffwrdd.

"Ymarfer oedd e, dwi'n meddwl," meddai Sara. "Dyma fe'n dod eto."

"Fe chwilia i am sŵn i'w ddychryn," mwmialodd Ben, a'i fysedd crynedig, gwlyb yn llithro dros y ddewislen ar y sgrin.

Nawr roedd y siarc bron â'u dal, a'i asgell yn torri drwy'r dŵr fel cyllell.

"Dwi wedi gwneud i'r gragen maharen ruo fel morfil ffyrnig," meddai'n sydyn.

"Gobeithio bydd e'n gweithio. Does dim llawer o greaduriaid yn codi ofn ar siarc gwryw."

Rhaid bod y sŵn wedi cyrraedd y siarc, achos fe drodd yn sydyn. Gan fflician ei gynffon gref, nofiodd i ffwrdd.

"Da iawn, ti," meddai Sara'n falch.

"Diolch i ti am achub fy mywyd yn gynharach," meddai Ben.

Cododd Sara'i hysgwyddau. "Pwy sy'n mynd i sgrwbio'r dec, os yw'r gwas bach ym mol siarc?"

Chwarddodd Ben. "Fe sgrwbia i, ar ôl dod o hyd i Dylan."

"Fydd hynny ddim yn hawdd," nododd Sara'n ddwys. "Doedd e ddim yn hoffi sŵn injan y cwch o gwbl. Falle 'i fod e'n bell i ffwrdd erbyn hyn."

"Cofia beth ddwedodd perchennog y dingi wrthon ni." Tynnodd Ben ei fwgwd a'i ffliperi, a thaflu siaced achub at Sara. Gwisgodd y ddau eu siacedi, a chlymu'r strapiau'n dynn.

Ar y gair, fe glywson nhw sŵn injan.

"Gwylia," meddai Ben. "Mae cwch caban yn dod tuag aton ni."

"Ahoi!" gwaeddodd llais.

Roedd dyn yn sefyll yn y pen blaen. Arafodd yr injan ac arhosodd y cwch yn eu hymyl.

"Cofia edrych fel twrist twp," mwmialodd Sara wrth Ben.

"Fydd hynny ddim yn anodd i ti," atebodd Ben yn gellweirus dan ei wynt.

Syllodd y dyn i lawr ar La Gaviota.

"Ro'n i eisiau gwneud yn siŵr fod popeth yn iawn," meddai mewn acen Americanaidd. Daeth gwraig mewn sbectol haul i sefyll yn ei ymyl. "Roedden ni'n synnu'ch gweld chi ar eich pen eich hun, a chithau mor ifanc."

"Peidiwch â phoeni," galwodd Ben yn serchog. "Mae fy chwaer yn forwr profiadol iawn. Mae wedi ennill pob math o fathodynnau."

"Byddwn ni'n mynd yn ôl i San Miguel cyn bo hir," meddai Sara. "Dwi'n rhoi gwers hwylio i 'mrawd, a dwi wedi gadael y bae er mwyn osgoi'r cychod eraill. Mae Ben mor anobeithiol!"

Chwarddodd y wraig, wrth i Ben esgus

mynd yn sownd yn y rhaffau.

"Wel, peidiwch â mynd ymhellach," meddai'r dyn. "Mae Stefano, ein capten, wedi dweud bod corwynt ar y ffordd. Fydd e ddim yn taro'r arfordir, ond bydd e'n dod yn go agos, ac fe deimlwch chi'r effaith os ewch chi i ddŵr dyfnach. Gwell i chi ein dilyn ni'n ôl i San Miguel. Rydyn ni'n hwylio yno nawr, rhag ofn y daw'r storm."

Ddwedodd Sara a Ben ddim gair am

eiliad. Roedden nhw'n chwilio am esgus.

"Diolch yn fawr iawn i chi," meddai Sara o'r diwedd, "ond … ond …"

"Ond rydyn ni'n aros am ein modryb," torrodd Ben ar ei thraws yn gyflym. "Mae hi allan yn ei chwch a byddwn ni'n hwylio adre gyda hi, ond diolch i chi 'run fath."

"Eich modryb?" gofynnodd y wraig yn amheus. "Ond welson ni 'run dingi arall."

"Ydych chi'n siŵr?" meddai Ben. Trawodd ei dalcen â chledr ei law. "Wrth gwrs! Nid San Miguel ddwedodd hi, ond San Pedro. Gwell i ni droi a mynd yno ar unwaith."

Symudodd Sara ar ras. Cyn hir roedd y dingi'n gwibio dros y tonnau. Roedden nhw'n falch iawn o weld y cwch caban yn hwylio yn ei flaen i'r bae.

"Trueni ein bod ni wedi gwastraffu amser," meddai Sara. "Ond diolch am achub y dydd. Nawr fe allwn ni ddechrau chwilio am Dylan eto."

"Ond yn gynta dwi'n mynd i edrych ble mae'r corwynt," meddai Ben, gan syllu ar y map tywydd ar y BYG.

Sbeciodd Sara dros ei ysgwydd. "Roedd y dyn yn iawn. Mae'r corwynt yn nesáu – mae e ychydig i'r gogledd-ddwyrain. Waw! Doedden ni ddim yn disgwyl iddo ddod mor agos! Ond byddwn ni'n iawn os arhoswn ni ger yr arfordir. Unrhyw newyddion am Dylan?"

"Mae'r gragen wedi codi sŵn dolffin yn y pellter," atebodd Ben. "Falle mai Dylan sydd yno."

Tapiodd yn gyflym ar yr allweddell, a phwnio'r awyr ar ôl gweld y canlyniadau. "Ie, Dylan yw e!" Syllodd dros y môr glas. "Mae e allan yna'n rhywle. Ond mae'r sŵn yn wan."

Crychodd talcen Sara. "Sut yn y byd allwn ni 'i ddal e nawr?" ochneidiodd.

"Dwi ddim yn siŵr," meddai Ben yn feddylgar. "Heblaw …" Dechreuodd dapio'r allweddell eto.

"Heblaw beth?" gofynnodd Sara.

"Mae gen i syniad gwych!" ebychodd Ben. "Wyt ti'n cofio Wncwl Steffan yn dangos gwefan Mundo Marino i ni?"

Nodiodd Sara.

"Fe edryches i ar y wefan pan oedden ni ar y jet," ychwanegodd Ben. "Roedd pob math o wybodaeth am y parc, pan oedd e'n lle braf, gan gynnwys manylion ar sut i hyfforddi'r dolffiniaid. Dwi'n meddwl bod 'na rywbeth y gallen ni ei ddefnyddio i ddenu Dylan aton ni."

"Wir?" meddai Sara'n eiddgar.

"Yn ôl y wefan, pe bai storm yn torri ffensys y parc a'r dolffiniaid yn dianc i'r môr, roedd yr hyfforddwyr i fod i seinio larwm arbennig. Roedden nhw wedi dysgu'r dolffiniaid i nofio at y sŵn. Tybed a allen ni wneud hynny?"

Ochneidiodd Sara. “Rwyt ti wedi anghofio un peth. Does gyda ni ddim larwm.”

“Ond gall y BYG ddynwared y sŵn!” meddai Ben, a’i lygaid yn disgleirio’n gyffrous. “Dylwn i fod wedi meddwl am hyn yn gynharach. Fe af i ati nawr.”

“Ond sut?” gofynnodd Sara. “Dydyn ni ddim yn gwybod pa fath o sŵn oedd e.”

“O ydyn, Capten,” meddai Ben. “Roedd y sŵn ar y wefan – sŵn tebyg iawn i’r amserydd ar ein popty ni gartre.”

“Sŵn digon cyfarwydd ’te.” Chwarddodd Sara. “Ond beth os yw’r amledd yn anghywir? Neu’r bwlch rhwng pob ‘ping’ yn wahanol? Fydd Dylan ddim yn nabod y sŵn os nad yw e’n union yr un fath.”

“Fe ofala i fod y sŵn yr un fath,” mynnodd Ben. “Fydd hi ddim yn hawdd, dwi’n gwybod, ond beth arall allwn ni ’i wneud?”

"Rwyt ti'n iawn," meddai Sara. "Rhaid mentro! Fe gadwa i'r dingi mor llonydd ag y galla i." Estynnodd y cit cymorth cyntaf. "Ond dwi'n mynd i drin dy law di'n gynta, rhag ofn i ni ddenu rhagor o siarcod." Sticiodd blaster gwrth-ddŵr ar y briw.

Gan ganolbwyntio'n ddyfal, gwasgodd Ben un botwm ar ôl y llall nes i'r gragen ddechrau seinio fel larwm. Edrychodd y plant i bob cyfeiriad.

"Fe dria i newid y sŵn fymryn," meddai Ben, ymhen ychydig.

Daliodd ati i newid fymryn bach ar y tro, ond doedd dim sôn am Dylan. Cymhwysodd Sara'r hwyliau. Roedd 'na awel gref, ac roedd hi'n anodd cadw'r cwch yn llonydd.

"Roedd e'n syniad da," meddai Sara, "ond dyw e ddim yn gweithio."

Edrychodd Ben arni'n benderfynol. "Allwn ni ddim rhoi'r gorau iddi," mwmialodd â'i ddannedd yn dynn.

Addasodd y sŵn eto. “Falle fydd hwn yn well. Nawr mae’n amser cinio, a dwi’n llwgu. Ble mae’r pastelitos?”

Bwytodd y plant y pasteiod a’r ffrwythau, a chymryd diod o ddŵr. Roedd gwynt main yn chwythu i’w hwynebau erbyn hyn, a chymylau bach yn sglefrio dros yr awyr.

Wrth roi’r bwyd yn ôl yn y rycsac, syllodd Sara ar y tonnau gan obeithio gweld Dylan yn dod tuag ati.

“Dyw e ddim yn mynd i ddod,” meddai o’r diwedd. “Dwi’n mynd yn ôl i’r bae. Falle ’i fod e yno.” Trodd y dingi tuag at San Miguel.

“Edrych!” gwaeddodd Ben yn sydyn. “Beth yw hwnna?”

Roedd siâp llwyd yn gwibio tuag atyn nhw, gan neidio a phlymio drwy’r tonnau. Plymiodd o dan y cwch, gan godi’i gynffon a gyrru cawod o ddŵr dros Ben a Sara.

Clywson nhw drydar uchel, cyffrous, a

daeth trwyn crwn, llyfn dolffin ifanc i'r golwg. O dan ei lygad dde roedd craith.

"Ffantastig, Ben!" gwaeddodd Sara. "Mae'r larwm wedi gweithio. Dylan yw e!"

PENNOD WYTH

Nofiodd Dylan o gwmpas dingi Ben a Sara, gan neidio'n hapus i mewn ac allan o'r tonnau.

"Mae e'n falch iawn o'n gweld ni!" meddai Sara'n llon.

"Mae e'n gwneud triciau," chwarddodd Ben. "Edrych!"

Neidiodd y dolffin a throi yn yr awyr, cyn plymio'n ôl i'r tonnau. Pan gododd i'r wyneb, edrychodd yn eiddgar ar y plant. Curodd Sara'i dwylo a gweiddi "Hwrê!" Roedd Dylan wrth ei fodd. Neidiodd eto a throi ddwywaith, yn osgeiddig, y tro hwn.

"Mae e'n haeddu gwobr," meddai Ben.

"Yn ôl y wefan, mae'r hyfforddwr yn chwibanu i gymeradwyo'r dolffin. Yn y gwersi cynta, mae'n chwibanu ac yn cynnig rhywbeth blasus. Pan fydd y dolffin wedi dysgu go iawn, mae'n stopio bwydo o dipyn i beth ac yn chwibanu'n unig."

Dododd Ben ei fysedd yn ei geg a chwibanu'n groch. Nofiodd Dylan at y cwch ar unwaith, a dechrau nodio'i ben yn egnïol, gan drydar yn uchel ar yr un pryd.

"Un bach ifanc yw e," chwarddodd Sara. "Dwi'n meddwl ei fod e'n disgwyl bwyd. Cymer di'r llyw, ac fe ro i fwyd iddo. Dere, Dylan." Tynnodd ddarn bach o fwyd dolffin o'i rycsac a'i daflu'n uchel. Neidiodd Dylan a'i ddal yn hawdd.

"Mae e'n ei hoffi," sylwodd Sara, wrth i Dylan ddawnsio tuag yn ôl ar ei gynffon. "Mae e'n dal i berfformio er mwyn cael rhagor. Dyna fachgen bach clyfar!"

"Fydd gyda ni ddim bwyd ar ôl cyn bo

GAVIOTA

hir," meddai Ben. "Fe dria i chwibanu heb roi bwyd iddo." Chwibanodd eto.

Y tro hwn nofiodd Dylan at y cwch, a phwyso'i ben ar y pren yn ymyl llaw Sara. Estynnodd Sara tuag ato a mwytho'i drwyn oer, llyfn, a'i dalcen crwm.

"Rwyt ti mor annwyl," suodd, "a chyn hir byddi di'n ddiogel yn y lloches."

"Paid â gadael iddo ddianc, Sara," meddai Ben, gan estyn ei BYG a sgrolio drwy'r ddewislen. "Dyma gyfle gwych i roi dart bach yn ei groen. Bydd y dart yn gyrru signal i ddweud wrthon ni ble mae e."

Anelodd Ben y BYG at Dylan, ond dacth chwythwm annisgwyl o wynt. Yn lle glanio ar Dylan, aeth y dart yn sownd yn ochr y dingi.

"Am glyfar!" chwarddodd Sara'n gellweirus. "Nawr fe fyddwn ni'n gallu tracio'r cwch – handi iawn!"

Tynnodd Ben ei dafod ar ei chwaer ac anelu eto.

Y tro hwn gwibiodd y dart bach yn syth at Dylan a thyrchu i'w gefn, heb i'r dolffin sylwi.

Rholiodd Dylan yn ddireidus yn y môr, a phan blygodd Sara i'w fwytho, chwythodd gawod o ddŵr o'r twll ar dop ei ben. Cododd ei drwyn a gwneud sŵn tebyg iawn i chwerthin.

"Tric arall!" chwarddodd Ben, wrth i Sara sychu'i hwyneb.

"Mae e'n hoffi cael sylw," meddai Sara'n falch. "Mae e'n dechrau ein trystio ni. Y cam nesa yw mynd ag e i rywle tawel a diogel, ac yna cysylltu ag Wncwl Steffan."

"Mae 'na gilfach ychydig filltiroedd i ffwrdd," nododd Ben, gan astudio'r map lloeren ar sgrin y BYG. "Tua'r gogledd-ddwyrain. Mae'n edrych yn unig iawn – does dim tai o gwbl – ond mae hewl fach yn arwain tuag ati. Bydd y bobl o'r Lloches Ddolffiniaid yn gallu gyrru tryc yno."

“Y gilfach amdani,” meddai Sara, gan fynd yn ôl i’w sedd a chydio yn y llyw a’r rhaffau. “Fe hwylia i, ac fe gei di gadw llygad ar Dylan. Os rhoi di fwyd iddo bob hyn a hyn, bydd e’n siŵr o ddilyn.”

Nofiodd Dylan o gwmpas y cwch, a neidio rhwng y tonnau.

Gwenodd Sara. “Mae e fel ci bach sy eisiau mynd am dro.”

Chwyddodd Ben y map er mwyn astudio’r arfordir yn fanwl. “Paid â mynd yn rhy agos i’r lan, rhag ofn i ni fynd yn sownd,” rhybuddiodd. “Yn ôl y BYG, dyw’r dŵr ddim yn ddwfn, ac mae creigiau dan yr wyneb.”

“O’r gorau,” meddai Sara, gan droi’r cwch tuag at y môr agored a hwylio i’r gogledd-ddwyrain.

Wrth i’r cwch gyflymu, nofiodd Dylan yn ei ymyl. Bob hyn a hyn neidiai’n uchel i’r awyr, gan droi a throelli cyn plymio i’r

MAP LLOEREN BYG
PENTREF
SAN MIGUEL
ARFOR
CREI
GWESTY
GLANFA
BAE

MUNDO
MARINO

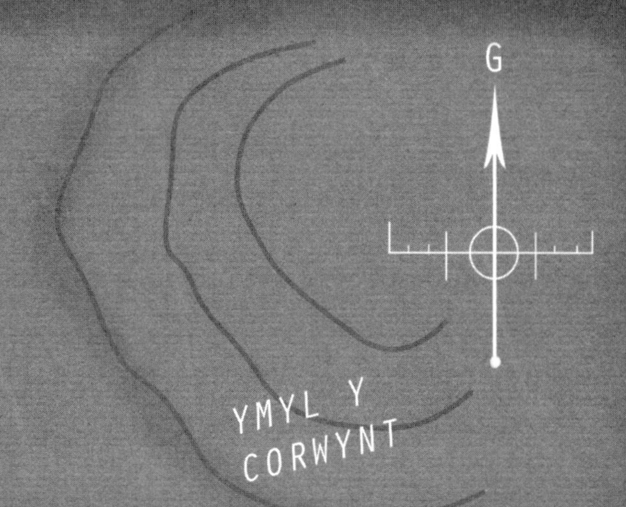

YNYS GWREL

heb fod ar raddfa

tonnau. Chwibanai Ben ar ddiwedd pob naid.

Trawyd Sara gan chwythwm o wynt, a chollodd ei hanadl am eiliad. Siglodd y cwch ar y tonnau aflonydd.

"Be sy'n bod ar Dylan?" meddai Ben. "Mae wedi arafu. Ydy e'n ofni mynd yn rhy bell o gartre?"

Roedd y dolffin bach wedi stopio ychydig fetrau o'r cwch ac yn galw'n ofidus. Taflodd Ben ddarn o fwyd i'r dŵr. Gwyliodd Dylan y bwyd yn disgyn, ond yn lle mynd yn agos, nofiodd tuag yn ôl yn ara bach, fel petai am ddianc.

"Dere, Dylan," meddai Sara.

"Fe seinia i'r larwm," meddai Ben, gan wasgu botymau ar y BYG.

Cadwodd ei lygad ar gefn llyfn, crwm y dolffin bach, oedd yn nofio'n araf yn ôl ac ymlaen dan yr wyneb.

"Allwn ni ddim gadael iddo fynd yn ôl i'r

bae," meddai. "Fydd e ddim yn ddiogel yng nghanol y cychod pysgota."

Daliodd Ben ddarn o fwyd o dan y dŵr. "Dwi'n gallu teimlo'i drwyn yn cyffwrdd â'm llaw i."

"Da iawn, Dylan bach," galwodd Sara.

Chwythodd gwynt cryf dros y cwch. Fflapiodd yr hwyliau'n wyllt a phwysodd y dingi i un ochr. Yn gyflym iawn trodd Sara'r dingi nes i'r hwyliau lenwi eto ac unioni'r cwch.

"Edrych draw fan'na, Ben," meddai'n ofidus. "Ife'r corwynt yw hwnna? Doedd e ddim i fod taro San Miguel, ond falle ddaw e'n agos iawn."

Syllodd y plant tua'r gorwel. Symudai tonnau mawr tua'r lan, gan boeri ewyn gwyn. Yn y pellter rhuthrai'r cymylau bygythiol ar draws yr awyr.

"Os arhoswn ni fan hyn, fe gawn ni ein dal," meddai Ben yn ddwys. "Rhaid i ni fynd â Dylan i'r gilfach ar unwaith."

Trodd gan feddwl taflu bwyd i Dylan, ond roedd y dolffin bach eisoes yn nofio i ffwrdd ar ras.

"Mae Dylan wedi synhwyro'r perygl," meddai. "Os yw Dylan yn dianc, rhaid i ninnau ddianc hefyd."

PENNOD NAW

Edrychodd Ben ar y signal o'r dart ar gefn Dylan. Ar y BYG roedd golau oren yn wincian yn gyflym, gan fynd yn bellach ac yn bellach oddi wrthyn nhw.

"Mae e'n nofio at y bae," meddai'n ofidus. "Ond mae hynny'n beryglus. Bydd y cychod pysgota'n hwylio i'r un cyfeiriad – 'nôl i San Miguel – os yw'r storm yn nesáu."

Gwthiodd Sara'r llyw tuag yn ôl a throi'r cwch i gyfeiriad y pentref.

Cymerodd Ben gip arall ar ei BYG. "Mae Dylan yn nofio allan i'r môr nawr, ond o

leia mae'n mynd tua'r de. Fe fydd e'n osgoi'r storm – a San Miguel."

Trodd Sara'r dingi eto a dechrau dilyn y dolffin bach.

Sbeciodd ar y BYG yn llaw Ben. "Gobeithio y gallwn ni 'i ddal e. Mae dolffiniaid yn gallu nofio'n gyflym pan fydd raid."

Roedd y cymylau wedi ymestyn dros yr awyr. Wrth hwylio'n bellach o'r lan, teimlai'r plant y gwynt yn cryfhau, a'r dingi'n prancio'n wyllt yn y tonnau.

Edrychodd Ben ar sgrin y BYG. "Dydyn ni ddim tamaid yn nes at Dylan."

"Dwi'n trio hwylio'n gyflymach," meddai Sara. "Dal yn dynn. Er ein bod ni'n dianc rhag y corwynt, mae'r gwynt yn gryf iawn. Mae'n anodd cadw'r llyw'n wastad."

Edrychodd Ben ar newyddion y tywydd ar y BYG. "O-o! Newyddion drwg," meddai. "Rydyn ni'n hwylio tuag at ymyl y storm.

Bydd yn barod am dywydd gwyllt."

Gwichiodd Sara wrth i chwythwm o wynt roi plwc chwyrn i raff y brif hwyl. Teimlodd ddafnau o law ar ei boch.

"Rhaid i ni hwylio i'r lan," gwaeddodd Ben dros ru'r gwynt.

"Rhy beryglus," gwaeddodd Sara'n ôl. "Falle fod creigiau dan wyneb y dŵr."

"Ti yw'r bòs," atebodd Ben. "Beth wyt ti eisiau i fi 'i wneud?"

“Cymer y jib,” gwaeddodd Sara. “Tynna’r rhaff nes i’r hwyl stopio fflapian. Gad bopeth arall i fi.”

Gan ddal rhaff y jib ag un llaw, gwasgodd Ben fotwm i gynyddu sŵn y larwm. Roedd yr awyr yn dywyllach fyth, a’r glaw’n pistyllio i lawr erbyn hyn.

“Dwi’n mynd i adael i’r larwm ganu,” bloeddiodd dros sŵn y gwynt a’r glaw. “Mae dolffiniaid yn gallu clywed yn dda dros ben.”

Yn sydyn fe rwygodd ton fawr y llyw o law Sara.

"Gwylia!" gwaeddodd. "Plyga dy ben!"

Taflodd Ben ei hun ar y dec, eiliad cyn i'r bŵm godi a chwipio ar draws y cwch â chlec uchel.

Simsanodd y dingi i'r chwith, a'i hwylbren bron â chyffwrdd y tonnau. Wrth i'r gwynt hyrddio eto, simsanodd i'r dde a thaflu'r plant bendramwnwgl.

"Rydyn ni wedi colli rheolaeth ar y cwch!" llefodd Sara. "Rhaid i ni ostwng yr hwyliau – ar ras. Cymer y llyw a hwylia i mewn i'r gwynt, os galli di."

Cripiodd Sara at yr hwylbren, datod y brif hwyl a'i gostwng ar frys. Yna fe ostyngodd y jib.

Roedd Ben yn ymladd â'r llyw. "Dwi ddim yn siŵr a alla i ddal gafael," gwaeddodd, wrth i'r dingi brancio dros y tonnau.

“Paid â phoeni,” bloeddiodd Sara. “Bydd pethau’n gwella pan ollyngwn ni’r angor fôr.”

“Ond does dim angor yn y cwch!” llefodd Ben.

“Dwi’n mynd i wneud un!”

Cydiodd Sara yn y bwced dŵr, a thynnu’r rhaff o’r bachyn. Pwysodd dros ymyl y cwch a chlymu’r rhaff i’r ddolen ar y pen blaen.

“Wyt ti’n hanner call?” gwaeddodd Ben. “Sut mae bwced yn mynd i angori’r cwch? Fydd e ddim yn cyrraedd gwely’r môr.”

“Does dim rhaid iddo,” meddai Sara, a thaflu’r bwced i’r dŵr. Ar unwaith teimlodd y plant blwc ar y rhaff, a throdd y cwch i wynebu’r tonnau.

Ochneidiodd y ddau’n falch, wrth i’r cwch lithro’n esmwyth dros y don nesaf.

“Mae angor fôr yn llusgo’r cwch,” eglurodd Sara. “Mae’n gwneud i ni hwylio’n syth i ddannedd y gwynt a’r tonnau, yn lle hercian o fan i fan. Fe ddysges i am hyn yn

y gwersi hwylio, ond wnes i erioed ddychmygu y byddwn i'n defnyddio angor fôr go iawn."

"A, dwi'n deall," meddai Ben. "Mae bwced llawn o ddŵr yn gweithredu fel brêc pan fydd y gwynt a'r tonnau'n trio gwthio'r dingi tuag yn ôl."

"Yn hollol," atebodd Sara, gan sychu'r glaw o'i llygaid. "Nawr rhaid i ni'n dau swatio yng nghanol y cwch."

Gorweddodd Ben ar y llawr a dechrau twrio o'i gwmpas.

"Beth wyt ti'n ei wneud?" gwaeddodd Sara.

"Dylen ni wisgo'n ffliperi," atebodd Ben mewn llais uchel, "rhag ofn."

Roedden nhw newydd strapio'r ffliperi ar eu traed, pan edrychodd Ben i fyny a rhewi mewn braw.

Ychydig bellter i ffwrdd roedd ton enfawr wedi codi ac yn rhuthro tuag atyn nhw, gan boeri ewyn gwyn.

Teimlodd Sara'r isgerrynt yn tynnu ar y cwch. Sglefriodd y dingi dros y don gyntaf, gan ysgwyd yn chwyrn, fel petai ar dorri'n ddau. Plymiodd i'r pant y tu draw, a'r don enfawr yn torri uwch ei ben. Tynnodd Sara'n wyllt ar y llyw.

Ond rhy hwyr! Daliwyd y cwch gan ruthr y don a'i daflu ben i waered. Clywodd Sara'r hwyliau a'r rhaffau'n chwipio dros ei phen. Gan dynnu anadl ddofn, disgynnodd i ddüwch gwyllt y môr.

Er ei bod yn gwisgo siaced achub, roedd y tonnau enfawr yn ei thaflu fel tegan. Cyn gynted ag y codai i'r wyneb, câi ei rholio'n ôl dan y dŵr.

O'r diwedd gwthiwyd hi tuag i fyny a ffrwydrodd i wyneb y dŵr. Anadlodd yn ddwfn ac arnofio ar gefn y don. Edrychodd mewn panig am ei brawd. Ond welai hi

ddim byd ond y tonnau tywyll, bygythiol yn siglo oddi tani.

Doedd dim sôn am Ben yn unman.

PENNOD DEG

"Ben!" sgrechiodd Sara'n llawn dychryn. "Ben! Ble wyt ti?"

Roedd ei phen yn troi. Oedd y cerrynt wedi sgubo'i brawd ymhellach i'r môr? Oedd e wedi llwyddo i neidio o'r cwch? Oedd e o dan y cwch, ac yn methu dod yn rhydd?

Rhewodd Sara mewn panig llwyr. Ble bynnag oedd ei brawd, fedrai hi byth ei achub o'r tonnau gwyllt.

Na! Ysgydwodd ei hofnau i ffwrdd. Roedd raid chwilio amdano. Syllodd o'i chwmpas. Am olygfa frawychus! Roedd y tonnau'n fwy nag erioed, a'r gwynt a'r glaw'n brathu'i bochau. Roedd hi'n amhosib gweld yn bell, gan fod y cymylau duon yn dal uwchben.

Ac yna fe glywodd gri fach wan. Brwydrodd i droi mewn hanner cylch, a gweld siâp tywyll yn rholio ar y tonnau. Ben oedd e!

Gwthiodd Sara'i hun tuag ato, gan stryffaglu drwy'r cerrynt oedd yn mynnu ei llusgo tuag yn ôl. Roedd breichiau Ben yn ysgwyd yn wyllt. O'r diwedd, roedd hi'n ddigon agos i gydio yn ei siaced.

"Ti'n iawn!" gwichiodd a'i gwefusau'n crynu.

"Wel, dwi'n fyw," gwaeddodd Ben dros ru'r storm. "Ond beth nesa?"

"Chwilia am y cwch!" bloeddiodd Sara. "Mae'n rhaid i ni gydio yn rhywbeth."

"Ond bydd y cwch wedi suddo."

"Mae 'na danc arnofiant sy'n ei gadw ar

yr wyneb. Gyda lwc bydd y ddau rycsac yn dal yn eu lle."

"Ble mae dechrau chwilio?"

"Hawdd!" gwaeddodd Sara. "Os wyt ti'n cofio, fe laniodd dart yn y pren."

"Bril!" Wrth geisio pwnio'r awyr, tagodd Ben ar gegaid o ddŵr.

Tynnodd Sara'i BYG o'r dŵr. Drwy lwc roedd e'n dal yn sownd wrth ei gwregys. Sgubodd ei gwallt gwlyb o'i llygaid ac edrych ar y sgrin dracio. "Mae'n bell i ffwrdd!" gwaeddodd pan welodd hi'r golau oren oedd yn dangos lleoliad y dingi. "Ond rhaid i ni wneud ein gorau. Ffordd hyn!"

Stryffagliodd y plant drwy'r dŵr tywyll, gan ymladd yn erbyn y cerrynt.

O'r diwedd arafodd Sara a nofio yn yr unfan. "Ar ôl yr holl ymdrech, dydyn ni ddim tamaid yn nes," gwichiodd. "Rhaid i fi gael seibiant."

"A fi," crawciodd Ben. Gorweddodd y

ddau â'u pennau ar y siacedi achub, cydio yn nwylo ei gilydd a gadael i'r tonnau eu codi.

"Dwi'n meddwl bod y tonnau'n tawelu," meddai Ben o'r diwedd. "Ydw i'n iawn?"

"Wyt," cytunodd Sara. "Edrych draw fan'na. Mae 'na fwlch rhwng y cymylau."

Syllodd Ben i'r awyr. Roedd bysedd main o haul yn disgleirio drwy'r cymylau du.

"Ydy dy BYG gen ti?" gofynnodd Sara.

"Mae e'n sownd wrth fy ngwregys,"

atebodd Ben. "Ond mae'r gragen maharen yn dal ar y cwch, felly does dim pwynt galw Dylan. Bydd e'n mynd at y cwch yn lle dod aton ni."

"Mae e'n bell i ffwrdd, mwy na thebyg," meddai Sara, "ond gallwn ni ddal i edrych ar ei signal."

Roedd hi newydd gydio yn ei BYG, pan chwyrlïodd y dŵr o'u blaen, a thrawodd rhywbeth trwm yn erbyn eu coesau. Edrychodd Ben a Sara i lawr mewn braw.

Daeth wyneb bach serchog i'r golwg, â chraith yn ymestyn o'i lygad dde. Dylan oedd e! Gwichiodd y dolffin yn uchel, cerdded tuag yn ôl ar ei gynffon a nofio'n ôl at y ddau.

Mwythodd Sara ei ochr wrth iddo fynd heibio.

"Rydyn ni mor falch i dy weld di," gwaeddodd. "Mae'r corwynt wedi mynd, felly rwyt ti wedi dod i chwilio amdanon ni!"

Yn sydyn dyma'r dŵr yn eu hymyl yn berwi. Mewn chwinciad roedd cylch o gyrff llyfn, llwyd yn nofio o'u cwmpas, gan neidio a phlymio drwy'r tonnau.

"Haid o ddolffiniaid," ebychodd Ben. "Mae Dylan wedi gwneud ffrindiau."

Neidiai Dylan yng nghanol yr haid.

"Maen nhw'n dod braidd yn rhy agos," gwaeddodd Sara, dros y trydar a'r gwichian. "Maen nhw'n cau amdanon ni. Chwarae maen nhw, dwi'n meddwl, ond allwn ni ddim dianc."

Roedd y dolffiniaid yn agos iawn erbyn hyn, a theimlai Ben a Sara'r ffliperi cryf yn taro eu coesau a'u breichiau.

Estynnodd Ben ei freichiau i'w cadw draw.

"Nid chwarae maen nhw," meddai'n ofidus. "Rhaid i ni wthio'n ffordd drwyddyn nhw, cyn i ni gael dolur."

Pan welodd gynffon yn mynd heibio,

ciciodd Ben ei goesau'n galed, gan feddwl nofio drwy'r bwlch, ond daeth dolffin arall ar unwaith a defnyddio'i drwyn i'w wthio'n ôl tuag at Sara.

"Dwi ddim yn hapus am hyn," gwaeddodd Ben. "Wyt ti'n cofio gweld rhaglen am ddolffiniaid yn ymosod ar forloi ac yn eu bwyta?"

Edrychodd Sara arno mewn dychryn. "Rwyt ti a fi mewn helynt mawr!"

PENNOD UN AR DDEG

Gwthiodd y plant gyrff cryf y dolffiniaid, a cheisio'u gyrru i ffwrdd.

"Edrych! Mae Dylan yn y cylch," llefodd Ben. "Does bosib fod *Dylan* yn mynd i'n brifo ni."

Ond roedd y dolffin bach wedi ymuno â'r lleill. Aeth y cylch yn dynnach.

"Fe gawn ni'n gwasgu'n ddim," gwaeddodd Sara.

Yn sydyn, rhwng y pantiau yn y tonnau, gwelodd Ben asgell arall yn gwibio drwy'r dŵr tuag atyn nhw.

"Siarc!" gwaeddodd.

O'r diwedd deallodd Sara gynllun y dolffiniaid.

"Maen nhw'n gofalu amdanon ni," ebychodd. "Yn cadw'r siarc draw. Ac mae Dylan yn helpu."

Gadawodd dau ddolffin y cylch a nofio'n syth at y siarc.

Tasgodd y dŵr wrth i'r tri chreadur enfawr daro yn erbyn ei gilydd.

"Be sy'n digwydd?" gwaeddodd Ben.

"Alla i ddim gweld," atebodd Sara. "Gyda lwc maen nhw'n gyrru'r siarc i ffwrdd."

Roedd y dolffiniaid yn dal i nofio o'u cwmpas a'u gwarchod. Bob tro roedd Dylan yn mynd heibio, roedd e'n cyffwrdd y plant yn dyner â'i drwyn.

Yna fe sylweddolodd Ben fod y ddau ddolffin wedi dod yn eu holau. Roedd yr haid yn gwichian a thrydar mewn cyffro.

"Maen nhw wedi cael gwared o'r siarc," galwodd, "achos wela i ddim cip—"

Gwaeddodd Sara mewn braw, wrth i'w

brawd roi sgrech a diflannu o dan y dŵr.

Plymiodd y dolffiniaid ar ei ôl mewn panig. Ceisiodd Sara'u dilyn, ond roedd ei siaced yn ei chadw ar wyneb y dŵr. Rhwygodd y strapiau ar agor, taflu'r siaced i'r dŵr a phlymio ar ôl ei brawd.

Pan welodd hi Ben, rhewodd y gwaed yn ei gwythiennau. Roedd y siarc wedi nofio o dan yr haid. Roedd wedi claddu'i ddannedd yn un o ffliperi Ben ac yn ei ysgwyd fel doli glwt. Nofiodd at ei brawd a cheisio'i dynnu'n rhydd. Ond roedd y siarc yn gryfach o lawer na hi.

Yna fe gofiodd am gyngor ddarllenodd hi unwaith. Pan fydd siarc yn ymosod, rhaid ei daro ar ei drwyn. Stampiodd Sara i lawr yn galed a tharo'r siarc uwchben ei geg. Neidiodd y siarc tuag yn ôl a gollwng y ffliper. Cydiodd Sara yn siaced achub Ben ac anelu am yr wyneb wrth i'r siarc ymosod eto, ei geg ar agor led y pen, a rhesi o

ddannedd miniog, bygythiol yn anelu amdani.

Yn sydyn tasgodd rhywbeth llyfn, llwyd at y siarc a'i daro ar ochr ei ben. Dylan oedd e. Simsanodd y siarc tuag yn ôl unwaith yn rhagor.

Roedd siaced achub Ben yn ei dynnu'n ôl i'r wyneb. Nofiodd Sara yn ei ymyl.

"Weles i mo'r siarc yn dod," crawciodd Ben.

Syllodd y ddau'n ofidus i ddyfnder y môr. Roedd cysgodion tywyll yn troi a throelli'n wyllt, wrth i'r dolffiniaid eraill helpu Dylan i ymosod ar y siarc.

"Rhaid i ni ddianc," meddai Sara'n daer, "ond sut?"

Ymwthiodd corf llwyd, llyfn rhwng y ddau a neidio i'r awyr. Trodd a nofio tuag atyn nhw, â gwên hapus ar ei wyneb creithiog.

"Dylan!" ebychodd Ben.

Gwthiodd eu ffrind bach ei drwyn yn eu herbyn. Yna fe nofiodd o'u cwmpas, a chodi'u breichiau wrth fynd heibio. Gwnaeth yr un peth eto.

"Be mae e eisiau?" meddai Ben.

"Mae e eisiau i ni gydio yn yr asgell ar ei gefn," meddai Sara. "Mae e'n mynd i'n tynnu drwy'r dŵr, dwi'n meddwl. Mae e wedi dysgu sut i wneud hyn yn y parc. Gobeithio ei fod e'n gwybod ble i fynd."

Wrth i Dylan nesáu eto, cydiodd y ddau yn asgell ei gefn, a'i deimlo'n eu tynnu'n gyflym a chryf drwy'r dŵr.

"Dim ots gen i ble y'n ni'n mynd," gwaeddodd Ben yn ôl, a phesychu wrth i'r tonnau ewynnog sblasio i'w wyneb, "dim ond i ni gadw'n ddigon pell oddi wrth y siarc."

Nofiai Dylan yn gryf, gan gadw'i asgell fymryn uwchben y dŵr. Ymhen tipyn teimlodd Sara'i llaw'n dechrau cyffio, ond doedd Dylan yn blino dim. Yna fe gafodd hi syniad annifyr.

"Roedd Dylan yn arfer byw mewn pwll," galwodd. "Falle 'i fod e'n nofio mewn cylchoedd."

"Ti'n iawn," galwodd Ben. "Ond beth arall allwn ni wneud? Mae 'na siarc llwglyd yn chwilio amdanon ni a …" Tagodd a sychu'r dŵr o'i lygaid. "Wyt ti'n gweld rhywbeth draw fan'na?"

"Be?" gofynnodd Sara, ac edrych dros y tonnau. "Be sy 'na?"

"Coed palmwydd!"

"Ydyn ni wedi cyrraedd yr arfordir?" gofynnodd Sara. Gallai weld canghennau'r coed yn glir erbyn hyn, gan fod yr haul yn disgleirio drwy fwlch mawr yn y cymylau.

"Yr ynys gwrel yw honna," gwaeddodd Ben. "Mae Dylan wedi'n hachub ni."

Arafodd y dolffin bach wrth nesáu at yr ynys. Gollyngodd Ben a Sara'u gafael ar ei asgell, a diflannodd Dylan o dan y dŵr. Neidiodd i'r golwg ychydig bellter i ffwrdd a phlymio'n ôl i'r môr. Wrth i'r plant nofio tuag at y lan, syllodd Ben ar liwiau hyfryd y cwrel oddi tanyn nhw.

"Fi sy wedi ennill!" galwodd Sara, ar ôl cyrraedd y traeth.

Tynnodd ei ffliperi a hercian o'r môr.

"Am le braf!" gwaeddodd, a thaflu'i hun ar y tywod o dan goeden balmwydd.

"Gwell i ni anfon neges at Erica!" meddai Ben, gan gropian o'r dŵr a disgyn yn ei hymyl. "Wedyn fe all hi yrru neges at Wncwl Steffan. Gyda lwc fe ddaw'r lloches i gasglu Dylan cyn iddo nofio i ffwrdd. Bydd raid i ni guddio pan ddôn nhw, wrth gwrs." Cydiodd yn ei BYG a tharo'r botwm brys.

"Helô," meddai llais Erica. "Be sy'n digwydd?"

Dwedodd Ben ei stori wrthi. "Mae Dylan yma, ac mae dart yn ei ochr," eglurodd, wrth gloi'r sgwrs. "Felly os gall Wncwl Steffan roi galwad i Loches Ddolffiniaid Agua Clara …"

"Iawn," meddai Erica'n hamddenol. "Mae'r BYG yn dweud wrtha i'n union ble y'ch chi, felly dwi'n dod i'ch nôl. Fe gasglwn ni'r dingi yn nes ymlaen."

Gorweddodd Ben yn ei hyd ar y tywod. "Dim brys!"

Chwarddodd Erica. "Yn anffodus, rhaid i chi ddiflannu cyn i bobl y lloches gyrraedd. Wela i chi cyn bo hir." Daeth yr alwad i ben.

Neidiodd Ben ar ei draed a syllu dros y môr.

"Mae'r haid wedi dod yn ei hôl," gwaeddodd. "Maen nhw wedi gyrru'r siarc i ffwrdd."

Neidiai a phlymiai'r dolffiniaid yn y tonnau disglair.

"Trueni na allwn ni ddiolch iddyn nhw," meddai Sara. "Fe achubon nhw'n bywydau – gyda help Dylan."

Gwichiodd Dylan sawl gwaith a dechrau nofio tuag at yr haid. Ond yn sydyn trodd a nofio'n ôl tuag at yr ynys. Gan drydar yn llon, cerddodd tuag yn ôl ar ei gynffon, yn union fel petai'n rhoi sioe yn y parc môr.

"Dwi wedi bod yn meddwl," meddai Ben. "Er bod y lloches yn lle braf, mae'n drueni mynd ag e yno. Mae e wedi dod yn gyfarwydd â'r môr, ac mae wedi ymuno â haid heb help. Dwi'n meddwl y dylai Dylan aros yn y môr gyda'i ffrindiau. Dyna sy orau."

"Ond beth os na fydd e'n aros gyda nhw?" gofynnodd Sara'n ofidus. "Beth os bydd e'n dechrau poeni'r pysgotwyr eto? Byddai hynny'n beryglus."

Gwyliodd y plant y dolffin bach yn neidio yn y tonnau, gan alw arnyn nhw a thrydar yn ddireidus.

"Falle 'i fod e'n rhy gyfarwydd â phobl," ochneidiodd Ben. "Gobeithio gall y lloches newid ei ffordd o fyw."

Yn sydyn daeth yr haid yn nes at Dylan, gan drydar a galw arno. Atebodd Dylan, a nodio'i drwyn.

"Cer atyn nhw, pwt," meddai Sara. "Cer."

Ond nofiodd Dylan yn nes at yr ynys.

Roedd yr haid yn dal i alw arno. Yna fe adawodd un o'r dolffiniaid mwyaf yr haid a nofio'n araf at Dylan. Gwyliodd y plant y ddau gorff llwyd yn dawnsio o gwmpas ei gilydd o dan y dŵr.

"Da iawn, Dylan," meddai Ben yn daer. "Wnân nhw ddim niwed i ti."

Aeth y dolffin mawr yn ôl at weddill yr haid, ond aros yn ei unfan wnaeth Dylan. O'r diwedd, trodd y dolffiniaid a nofio i'r môr mawr.

Llithrodd Dylan o dan y dŵr.

"Ble mae e?" gofynnodd Sara'n ofidus. "Does dim sôn amdano."

"Draw fan'na!" gwaeddodd Ben, a phwyntio at gysgod llyfn yn nofio ar ras tuag at yr haid.

Cysgododd Sara'i llygaid. "Mae Dylan wedi cyrraedd y dolffiniaid eraill!" gwaeddodd. "Edrych! Mae e'n chwarae gyda nhw."

Fe wylion nhw Dylan a'i deulu newydd yn nofio tua'r gorwel.

"Gwell i fi ffonio Erica eto," meddai Ben yn llon. "Dim ond dau berson sy angen help nawr – ti a fi!"

PENNOD DEUDDEG

Ychydig ddyddiau'n ddiweddarach, roedd Sara a Ben yn gorwedd yn yr ardd, yn darllen cylchgronau. Yn y gegin roedd Mam-gu'n gwneud cacen siocled i ddathlu llwyddiant eu trip i Fecsico.

Trodd Sara at Ben. "Dwi'n darllen erthygl am hwylio," meddai â gwên fach ddireidus. "Wyt ti eisiau cael gwersi?"

"Does dim angen gwersi arna i," mynnodd Ben. "Galla i *roi* gwersi ar sut i godi dingi sy wedi dymchwel. A sut i daflu dŵr o gwch!"

"Roeddet ti'n dda dros ben," meddai Sara. "Doedd gan y perchennog ddim syniad

o'r antur gafodd y dingi tra oedd yn ein gofal ni."

Yn fuan ar ôl i Dylan nofio i ffwrdd gyda'r haid, roedd Erica wedi cyrraedd yr ynys gwrel mewn cwch modur. Aeth y tri i chwilio am y dingi, ac roedd Sara wedi dysgu Ben sut i sefyll ar y cêl a thynnu'r La Gaviota tuag i fyny. Roedd wedi gwagio'r dingi hefyd, gyda help yr hen fwced.

"Roedd Erica mor falch fod rhwydi Wncwl Steffan wedi cael derbyniad da," meddai Sara. "Yn enwedig yn San Miguel. Roedd pawb yn barod iawn i roi cynnig arnyn nhw."

"Yn enwedig y pysgotwr oedd yn dwcud wrth bawb am y siwper-dolffin ddaliodd e yn y bae."

"Yr un dorrodd y rhwyd â dannedd fel cyllyll?" Chwarddodd Sara. "Bydd e'n ailadrodd y stori honno am wythnosau. Bues i bron â chwerthin, ond wedyn fe gofies nad

o'n i ddim i fod deall gair."

Clywson nhw'r ffôn yn canu yn y tŷ. Ychydig eiliadau'n ddiweddarach, gwthiodd Mam-gu ei phen drwy'r ffenest. "Wncwl Steffan oedd ar y ffôn," galwodd. "Neges frys!"

"Oes 'na dasg arall i ni?" gofynnodd Sara'n syn, a neidio ar ei thraed.

Ysgwyd ei phen wnaeth Mam-gu. "Na. Dwedodd e wrthon ni am fynd i wylio'r teledu'n syth!"

Rhedodd y plant at y teledu bach yn y gegin. Roedd rhaglen newyddion ar y sgrin.

"Ac yn olaf," meddai'r darllenwr, "stori ryfeddol iawn o'r Caribî. Mae twristiaid wedi gweld haid o ddolffiniaid gwyllt yn gwneud triciau arbennig."

Diflannodd y stiwdio, a daeth llun o fôr glas ar y sgrin, a haid o ddolffiniaid yn neidio rhwng y tonnau.

Yn sydyn dechreuodd dau ddolffin mawr

gerddded tuag yn ôl ar eu cynffonnau.

Daeth gohebydd ar y sgrin. “Mae Monica Vasquez o Loches Ddolffiniaid Agua Clara wedi ymuno â fi,” meddai. “Allwch chi egluro be sy’n digwydd?”

Trodd y camera at wraig ifanc, ddel â gwallt du. “Cafodd dolffin trwyn potel o’r parc môr ei ddympio yn y bae,” meddai. “Ar ôl clywed yr hanes, roedden ni’n bwriadu mynd ag e i’n lloches a’i ddysgu sut i fyw yn y môr. Ond yn fuan wedyn fe gawson ni neges i ddweud bod haid o ddolffiniaid wedi’i fabwysiadu. Maen nhw’n ei ddysgu sut i fyw yn y gwyllt, ac mae’n amlwg ei fod e’n rhoi gwersi iddyn nhw hefyd.”

Sŵmiodd y camera tuag at ddolffin arall oedd wedi codi ar ei gynffon ac yn cerddded tuag yn ôl.

“Edrych ar y graith o dan ei lygad!” gwaeddodd Sara, a phwyntio at y sgrin. “Dylan yw e!”

"Mae e wrth ei fodd," meddai Ben. "Digon o bysgod wrth law, a neb yn chwibanu arno. Ac er mor handi oedd e i ni, gobeithio na fydd raid iddo lusgo pobl drwy'r dŵr byth eto."

"Dyna braf!" meddai Sara'n falch. "Mae gan Dylan gartref go iawn o'r diwedd."

DYFODOL Y DOLFFIN TRWYN POTE

Mae dolffiniaid trwyn potel yn byw mewn dyfroedd tymherus a throfannol ar draws y byd.

Wyddon ni ddim sawl dolffin trwyn potel sy yn y byd, ond dydyn nhw ddim mewn perygl.

Amcangyfrif o'r nifer (o leiaf) 470,000-690,000

Nifer yng Ngwlff Mecsico yn unig (tua) 45,000

Sawl blwyddyn maen nhw'n byw? Hyd at 20 mlynedd yn y gwyllt. Mae rhai dolffiniaid wedi byw am 50 mlynedd, ond mae hynny'n anarferol iawn. Mae dolffiniaid yn y parciau anifeiliaid gorau'n tueddu i fyw'n hirach na'r rhai yn y gwyllt.

Mamal yw'r dolffin. Yn wahanol i bysgod, maen nhw'n geni babanod byw, ac yn eu bwydo â llaeth.

Does ganddyn nhw ddim tagelli, felly fedran nhw ddim anadlu o dan y dŵr. Rhaid dod i'r wyneb bob hyn a hyn i gael aer, neu fe fyddan nhw'n boddi.

Mae'r dolffin yn mesur rhwng 2 a 3.9 metr o hyd. Fel arfer, mae'n pwyso rhwng 150 a 200kg. Mae'r gwryw'n hirach ac yn drymach o lawer na'r fenyw.

Mae'r benywod yn geni rhai bach unwaith bob dwy neu dair blynedd. Maen nhw'n feichiog am ddeuddeg mis. Mae'r lloi'n mesur rhwng 1 ac 1.35m o hyd, yn pwyso 10–20kg, ac fel arfer yn cael eu geni gynffon gyntaf.

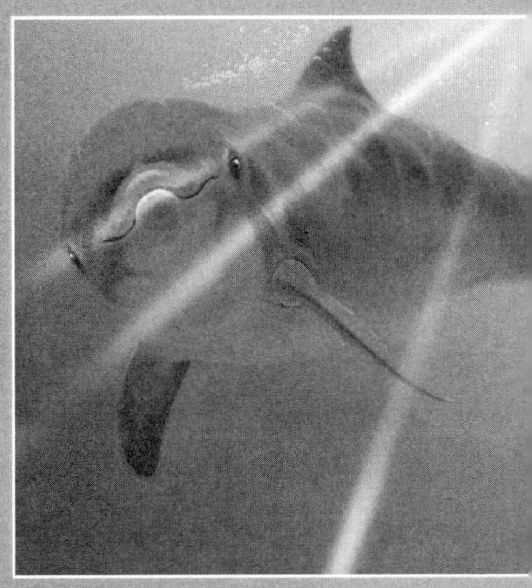

STATWS: DIOGEL AR Y CYFAN

Yn gyffredinol, nid yw dolffiniaid mewn perygl, ond mewn rhai ardaloedd mae'r boblogaeth l dan fygythiad. Heb ddolffiniaid, gallai ecosystemau lleol ddioddef.

ANIFAIL

FFEITHIAU AM Y DOLFFIN TRWYN POTEL

BYGYTHION

PYSGOTA

Mae rhai rhwydi pysgota mor fawr, maen nhw'n dal dolffiniaid yn ddamweiniol. Hefyd, mae gormod o bysgota mewn rhai ardaloedd. O ganlyniad, mae llai o fwyd i'r dolffin.

GELYNION

Gall siarcod mawr, fel y siarcod teigr a'r siarcod mawr gwyn, ymosod ar ddolffin unigol ac ar y rhai bach. Hefyd mae morfilod Orca'n gallu ymosod ar ddolffiniaid. Yn Japan ac Ynysoedd Ffaro, lleddir dolffiniaid a'u bwyta. Gwerthir eu cig yn y siopau.

Mae dolffiniaid yn rhoi enwau i'w gilydd! Mae gan bob dolffin chwiban arbennig sy'n wahanol i chwiban pob dolffin arall. Mae'r sŵn yn eu helpu i adnabod ei gilydd. Melon yw enw talcen crwm y dolffin. Mae'r dolffin yn defnyddio'r melon i gynhyrchu tonnau sŵn. Pan mae'r tonnau'n taro yn erbyn rhywbeth, mae'r eco'n dweud wrth y dolffin beth yw'r peth hwnnw, pa mor fawr yw e, pa mor gyflym mae'n symud, a hyd yn oed o ba ddefnydd y'i gwnaed. Gall ffrwd o donnau sŵn o'r melon daro pysgodyn yn anymwybodol. Wedyn bydd y dolffin yn ei fwyta!

LLYGREDD

Gall dolffiniaid gael eu lladd gan wastraff ffatrïoedd a gwrtaith fferm a olchir i'r môr.

Ond mae 'na newydd da hefyd!

Mae'r Gronfa Natur Fyd-eang yn cydweithio â physgotwyr dros y byd i'w helpu i leihau'r nifer o ddolffiniaid, siarcod a chrwbanod sy'n cael eu dal yn ddamweiniol yn eu rhwydi. Maen nhw'n arbrofi â gwahanol fathau o rwydi ac offer pysgota. Mae rhai gwledydd wedi gwahardd hela dolffiniaid trwyn potel ac mae ganddyn nhw statws warchodedig dan gyfraith Ewrop.

Y GYFRES GYFAN

Cyfres o straeon antur cyffrous am frawd a chwaer sy'n gwneud eu gorau glas i warchod anifeiliaid prin sydd dan fygythiad ledled y byd.

BETH AMDANI?

Mae'r efeilliaid Ben a Sara wedi teithio'r byd yng nghwmni'u rhieni, sy'n filfeddygon. Ond am unwaith maen nhw gartref yn dathlu'u pen-blwydd. Beth yw'r anrheg ryfedd sy'n dod drwy'r post? Does bosib mai Dr Steffan Fisher, yr arbenigwr anifeiliaid, sy wedi'i hanfon? Does neb wedi gweld Dr Fisher ers blynyddoedd.

Mae Dr Fisher angen help. Fydd yr efeilliaid yn fodlon ymuno â Gwyllt, ei gymdeithas ddirgel i achub anifeiliaid mewn perygl? A fyddan nhw'n fodlon mentro i'r jyngl i achub teigr a'i chenawon rhag criw o ddynion mileinig…?

Y GYFRES GYFAN

J. BURCHETT & S. VOGLER

ADDASIAD: SIÂN LEWIS

ACHUB ANIFAIL

ERLID ELIFFANT

BETH AMDANI?

Mae'r efeilliaid Ben a Sara'n mynd i'r safana lle mae poblogaeth yr eliffantod Affricanaidd dan fygythiad. Ond, mae rhai ymwelwyr yn talu symiau mawr o arian er mwyn erlid anifeiliaid o ran sbort.

Tra bo'r ymwelwyr mileinig yn llygadu'r eliffantod gan gynnwys mam a'i baban ifanc, mae Ben a Sara ar dân i'w hachub!

Y GYFRES GYFAN

BETH AMDANI?

Mae'r efeilliaid Ben a Sara'n gweithio i fudiad dirgel Gwyllt. Dan gyfarwyddyd Dr Fisher, eu tad bedydd, maen nhw'n teithio'r byd i helpu anifeiliaid prin.

Yn yr Arctig mae arth wen wedi ei saethu'n farw, ac mae ei dau genau wedi'u gadael yn amddifad. Rhaid i Ben a Sara eu darganfod ar ras cyn iddyn nhw lwgu.

Ond mae'r efeilliaid mewn perygl hefyd. Sut mae chwilio am y cenawon yng nghanol storm enbyd?

Y GYFRES GYFAN

J. BURCHETT & S. VOGLER

ACHUB ANIFAIL

LLOSGI LLOCHES

BETH AMDANI?

Ar warchodfa ym mhellafoedd Borneo,
mae torwyr coed wedi difetha cartref
orangwtang bach.
I ffwrdd â Ben a Sara i'w helpu.

Ond mae rhywun mileinig iawn
eisiau bachu tir y warchodfa,
a chyn hir mae Ben a Sara
mewn perygl enbyd.

Os am fwy o wybodaeth am y dolffin a'i gynefin a'r peryglon mae'n ei wynebu:

www.wdcs.org
www.orcaweb.org.uk
www.dolphincareuk.org
www.wwf.org.uk